氷菓

米澤穂信

角川文庫　12196

目次

一　ベナレスからの手紙

折木《おれき》　奉太郎殿《ほうたろうどの》

前略

わたしはいまベナレスにいます。日本ではベナレスって書かれることが多いけど、バラーナシーとでも書いた方がこちらの発音に近いかな。

奉太郎、ここはすごい街よ。なんといっても葬式の街、つまりひっきりなしに葬式をしているんだから。なんでもここで死ぬと天国に行けるらしいのね。違《ちが》ったかな。そうそう、輪廻《りんね》から外れられる、って言ってた。ということはあれね、仙人になったのと同じ効果があるってこと。中国では悠久《ゆうきゆう》の修行を必要とする脱出が、ここではただ死ぬだけでＯＫ。

チャイニーズも哀れな話よね。

ちょっと遅れたけど、高校合格おめでとう。結局、神山《かみやま》高校だってね。面白味のない選択だけど、まあとにかく、おめでとう。

無事高校生になったあんたに、姉として一つアドバイスをしてあげる。

古典部に入りなさい。

古典部は、神高の伝統ある文科系部活よ。そして、あんたが知っているかどうか知らないけど、わたしの所属していた部でもある。

聞いた話だと、伝統ある我が古典部は三年連続で入部者がなくって現在の部員はゼロ、今年入部者がなければ自動的に消滅するそうなの。古典部のOGとして、それはあまりにも忍びない。けど、四月のうちに新規入部者があれば話は別。奉太郎、姉の青春の場、古典部を守りなさい。とりあえず名前を置いておくだけでいいから。

それに、そんなに悪い部活でもないわ。なんといっても秋がいい。

どうせ、やりたいことなんかないんでしょう?

ニューデリーに着いたら一度電話するね。

かしこ

折木　供恵《ともえ》

二　伝統ある古典部の再生

高校生活といえば薔薇色《ばらいろ》、薔薇色といえば高校生活、と形容の呼応関係は成立している。西暦二〇〇〇年現在では未《いま》だ果たされていないが、広辞苑《こうじえん》に載る日も遠くはあるまい。

しかしそれは、全ての高校生が薔薇色を望むということを意味しているわけではない。例えば、勉学にもスポーツにも色恋沙汰《いろこいざた》にも、とにかくありとあらゆる活力に興味を示さず灰色を好む人間というのもいるし、それは俺の知る範囲でさえ少なくない。けど、それって随分寂《ずいぶんさび》しい生き方だよな。

陽《ひ》の落ちかけた教室で、旧友の福部里志《ふくべさとし》にそんな意味のことを話した。すると里志はいつも浮《う》かべている微笑《ほほえ》みをちっとも崩さず、言ったものだ。

「そう思うよ。ところで僕はホータローに自虐《じぎゃく》趣味があるとは知らなかったね」

いかにも心外だ。俺は抗議した。

「俺が灰色だって？」

「そう言ったかな。でも、勉学にもスポーツにも、それからなんだっけ、恋愛か。ホータローがそういうものに前向きだとは、僕には思えない」

「別に後ろ向きなわけじゃない」

「そうだろうともさ」

里志は一層笑《え》みを深くする。

「ただ単に『省エネ』なんだよね、ホータローは」

俺は鼻を鳴らすことで肯定を示した。わかっていればいい、俺は別に活力を嫌っているわけではない。ただ単に面倒で、浪費としか思えないからそれらに興味を持たないだけなのだ。至って地球環境に優しい省エネが、俺のスタイル。その合言葉はすなわち、

「やらなくてもいいことなら、やらない。やらなければいけないことは手短に、だ」

俺がモットーを披露《ひろう》した時の常で、里志は処置無しというように肩をすくめてみせる。

「省エネでも厭世《えんせい》でもいいさ。どっちにしても同じことじゃないか。道具主義って知ってるかい」

「さあな」

「要するにだね。これといった趣味もなく、この多彩な部活動の殿堂《でんどう》神山高校で部活にも入ってないホータローは、結果だけ見れば灰色そのものだってことだよ」

俺は小さくあくびした。

「じゃあなにか、殺人も業務上過失致死《ちし》も同じか」

その質問に、里志は全くためらわずに答える。

「ある一面から見ればね。死体が、ああ僕は過失致死で死んだんだなあ、って納得して成仏するなら別だけど」

「……………」

口の減らないやつだ。俺は改めて目の前の男を見た。福部里志。わが旧友にして好敵手、そして仇敵《きゅうてき》。里志は男にしては背が低く、高校生になってさえ遠目には女と間違うようなり青瓢箪《あおびょうたん》に見えるが、中身は違う。どう違うかというと説明しづらいが、とにかくやつは違うのだ。目と口元に常に含んだ笑みと、いつもぶら下げている巾着袋《きんちゃくぶくろ》、そして減らず口がトレードマークになる。部活は手芸部。なぜ手芸なのかは、知らない。

こいつと言い争うなど、浪費もいいところだ。俺は話題の終わりを示すように手をひらひらと振った。

「まあいいさ。とっとと帰れ」

「そうだね、今日は部に行く気分でもないし……。帰ろうかな」

里志は腰を浮かしかけて、ふと気づいたように俺を見た。

「帰れだって？　珍しいね」

「なにが」

「ホータローなら、帰れと言う前に自分から帰るのが本当じゃないか。無所属のホータローが放課後になにか用でもあるのかい」

「ああ」

眉根《まゆね》を寄せ、俺は詰襟《つめえり》の右ポケットから一枚の半紙を出す。無言で差し出したそれを見た里志が驚愕《きょうがく》に目を見開く。いや、大袈裟《おおげさ》な表現ではない。別に本気で驚いたわけではないのだろうに、里志は本当に目を見開いた。里志が時折見せるオーバーアクションは、一部で有名だ。

「それは！　まさかそんな」

「里志。かなり無礼だな」

「入部届じゃないか。驚いたな、どういった心境の変化だい。ホータローがまさか部活動に入るなんて」

確かにこれは入部届だ。その入部希望部活の欄《らん》を見て、里志は眉をひそめる。

「古典部……？」

「知ってるか」

「もちろんさ、だけど、なんだってホータローが古典？　突然国学にでも目覚めたかい」

さてどう説明したらいいものか、俺は無意識に頭をかく。それから、左ポケットから別の紙を出した。それは便箋《びんせん》で、書き手をちっとも的確に示さない流麗《りゅうれい》な字で書かれた手紙だ。それを里志に渡す。

「読んでみな」

素直に受け取って里志はそれに目を通す。目を通して、里志は案の定、声を上げて笑った。

「はは、ホータロー、これは困ったね。お姉さんの頼みか、これは断れない」

なんて嬉しそうなのか。逆に俺は、自分が苦り切った表情になっていくのを自覚していた。

今朝方インドから舞い込んだ国際郵便は、俺の生活スタイルにちょっとした修正を迫るものだった。いつだってそうだ、折木供恵からの手紙は俺の生活を狂《くる》わせる。

『奉太郎、姉の青春の場、古典部を守りなさい』

開封してその短い手紙に目を通した直後は、その手前勝手な内容に目が点になった。姉貴の思い出を守る義理なんか俺にはない。だが……。

「お姉さんの特技はなんだっけ。柔術《じゅうじゅつ》？」

「合気道と逮捕術《たいほじゅつ》。痛くしようと思えば、かなり痛い」

そう、日本をまたにかけるだけでは飽《あ》き足らず世界に飛び出した我が姉は、文武両道のハイパー女子大生。逆鱗《げきりん》に触れるのはまずい。

まあそこは俺もなけなしの矜持《きょうじ》を発揮して逆らい通してもいいが、義理を立てない理由もないというのも確かなのだ。やりたいことなんかない、という姉貴の指摘は、見事なまでに正鵠《せいこく》を射ている。帰宅部員と幽霊部員とどれほどの違いがあるのかとも、思うのだ。だから俺は、自分で思っていたほど迷いもせずに、

「今朝、届を出してきた」

「わからないもんだね、ホータローがさ」

里志はしばらく姉貴の手紙を眺《なが》めていた。俺の口からは溜息が漏れる。

「ま、メリットはなさそうだがな」

「……いやあ、そうでもないと思うよ」

手紙から顔を上げた里志が妙に明るい声になった。手紙の文面を手の平で軽く叩いてみせる。

「古典部の部員はいないんだよね。なら、古典部の部室はホータローが独《ひと》り占《じ》めじゃないか。結構いいもんだよ、学校の中にプライベートスペースが持てるっていうのも」

プライベートスペース？

「……妙な視点を持ち出すな」

「気に入らないかい」

なんとも怪《あや》しげな理屈だ。要するに秘密基地ごっこを学校でできると言っているのだ、里志は。そんな考え方は思いつきもしなかった。私的空間。特別な努力をしてまで欲《ほ》しい場所ではないが……。付録としてなら、もらってもいいか。俺は里志から手紙を取り返す。

「まあ、悪くない。行ってみるか」

「それがいい。ものはためしだ」

ものはためし、か。これほど俺に似合わない言葉もない、と苦笑しながら、俺は自分のショルダーバッグをひっつかんだ。

俺の、自分のモットーへの忠誠なんてその程度だ。

開けられたままの窓から、陸上部かなにかの掛《か》け声が飛び込んでくる。

「……ファイト！　ファイト！　ファイト！……」

そのエネルギー消費の大きい生き方に敬礼。よく勘違《かんちが》いされるのだが、俺はなにかと比較して省エネが優れているると思っているわけではないので、活力ある連中を小馬鹿《こばか》になどしてはいない。彼らの声を聞きながら、古典部の部室を目指す。

三階まで上がり、タイル張りの廊下を行く。大きな脚立《きゃたつ》を担いだ用務員が通りがかったので尋《たず》ねると、古典部の部室は特別棟《とう》の四階、地学講義室の流用だと教えられた。

この学校、神山高校は、生徒数の面でも立地の面でもさほど大きな学校ではない。総生徒数はおそらく千を超《こ》すか超さないかといったところだろう。一応このあたりでは進学校で通っているが、進学に特別力を入れている様子はない。まあ、普通の高校だ。総生徒数に比して珍奇《ちんき》な部活（例えば、水墨画《すいぼくが》部やアカペラ部、そして古典部など）が多く、毎年の文化祭が盛況《せいきょう》なのがこの地方では知られているが、それ以外に特色はない。

立地でいえば敷地《しきち》内に大きな建物は三棟《むね》。一般《いっぱん》教室が並ぶ一般棟、特別教室が並ぶ特別棟、そして体育館。これも普通だろう。あとはせいぜい、格技場や体育倉庫あたりか。古典部部室があるという特別棟四階は、神高でも最辺境に当たる。

移動こそ浪費だと思いながら連絡廊下を渡り、階段を四階まで上がってくれば、地学講義室はすぐにそれと知れた。ためらいなく横開きのドアに手をかければ、硬《かた》い手ごたえが返る。当然のことだ、特別教室には鍵がかかっているのが普通だ。無駄を省くためあらかじめ借りていたキーを差込み、捻《ひね》る。

鍵の開いたドアをスライドさせる。無人の地学講義室。西向きの窓から夕陽が見える。

無人の？　いや。俺は自分の予想が裏切られたことを知った。

夕暮迫る地学講義室、古典部部室には、先客の姿があったのだ。

そいつは教室の窓際《まどぎわ》にいて、こっちを見ていた。そこにいたのは女だった。

俺はこの時まで、楚々《そそ》とか清楚とかいった語彙《ごい》のイメージがどうもつかめないでいたが、その女を形容するのには楚々とか清楚と言えば形容できることはすぐにわかった。黒髪が背まで伸びていて、セーラー服がよく似合っていた。背は女にしては高い方で、多分里志よりも高いだろうと思われた。女で高校生なのだから女子高生だが、くちびるの薄さや頼りない線の細さに、俺はむしろ女学生という古風な肩書を与えたいような気になる。だがそれら全体の印象から離れて瞳《ひとみ》が大きく、それだけが清楚から離れて活発な印象を残していた。

そして、俺の知らない女だった。

だがそいつは、俺を見ると微笑《ほほえ》んで言ったのだ。

「こんにちは。あなたって古典部だったんですか、折木さん」

「……誰だ？」

　俺は率直に訊《き》いた。俺は確かに人付き合いがいい方ではない。が、知り合っているのに顔を見てもわからないというほど対人関係に薄情ではないつもりだ。俺はこの女を知らないのに、なんでこいつは俺のことを知っているのか。

「わかりませんか。千反田《ちたんだ》です。千反田える、です」

　千反田える。名乗られても、やはりわからない。千反田とはしかし珍しい苗字《みょうじ》で、えるとはまた珍しい名前だ。いくらなんでもそんな名を忘れるわけはないと思うが。

　俺は千反田と名乗った女学生をもう一度よく見て、やはり知らない相手であることを確認してから、言った。

「すまん、全然わからないんだが」

　そいつは微笑んだまま困ったように小首をかしげた。

「折木さんですよね。折木奉太郎さん。一年B組の」

　頷《うなず》く。

「わたし、一年A組なんです」

　これでわかったでしょう、とでも言いたげに千反田は沈黙した。……俺はそんなに物覚《ものおぼ》えが悪かっただろうか。

だがしかし待て。俺がB組でやつがA組だと、お互いに知り合っていて然《しか》るべきなのか？

同級生といえども、クラスで分かれてしまえば学校で交流することはまずない。接触があるとすれば部活か生徒会活動か、友人経由か。俺にはどれも縁のないことだ。全校行事という接点もあるが、入学以来の全校行事といえばせいぜいが入学式ぐらいのもの。そして俺は、入学式で誰かに名乗った覚えはない。

いや、違う。思い出した。そうだ、授業でも他クラスと交流する機会があった。施設を使うため、複数クラスの合同で行う授業。体育と、芸術選択科目だ。中学の頃はこれに技術科目が加わったが、進学校を一応標榜《ひょうぼう》する神山高校に技術科目はない。体育は男女別だから、そうか。

「もしかして、音楽の授業で一緒《いっしょ》だったか？」

「はい、そうです！」

千反田は大きく頷いた。

自分で言っておきながら、俺はあっけに取られた。俺のなけなしの名誉《めいよ》のために言っておくが、芸術選択科目は入学以来まだたったの一度しか行われていない。それで顔と名前を憶《おぼ》えろという方が無理だ！

とはいえこの千反田という女学生はそれをやってのけたのだから、全くの不可能ではないのは反証が挙がっているが……。それでも言わせてもらえば、こいつの観察力と記憶力には空恐《そらおそ》ろしさを覚える。

しかし、とにかく、偶然ということもある。例えば同じ新聞を読んでいても把握する内容は人によって随分《ずいぶん》と違うものだということを思い出して、俺は気を取り直した。

「それで、千反田さん。この地学講義室になんの用で？」

と訊くと、すぐに答えが返った。

「古典部に入ったので、ご挨拶《あいさつ》にうかがったんです」

古典部に入った。入部者。

その瞬間《しゅんかん》の俺の気持ちを察して欲しい。この女学生が入部するなら、私的空間は潰《つい》え姉貴への義理は果たされることになる。俺が古典部に入る理由はなにもなかったのだ。俺は心のうちで溜息をついた。……全く、無駄足《むだあし》を踏《ふ》んだものだ。が、無駄足にしたくないという意識があったのだろうか、俺は訊いた。

「なんでまた、古典部に」

言外に、入るもんじゃないよこんな部活、というニュアンスが漂《ただよ》っていたかもしれない。が、そのニュアンスは彼女には全く通じなかった。

「はい、一身上の都合がありまして」

しかもはぐらかされた。千反田える、こいつは案外、曲者《くせもの》かもしれない。

「折木さんは」

「俺か」

さて困った、どう説明したものだろうか。命令と言っても理解してもらえまい。考えてみれば理解してもらう必要もないわけだ。などと思っていたところ。

突然がらりとドアが開き大声が飛び込んできた。

「お前ら、そこでなにしている！」

見れば、そこにいるのは教師だった。放課後の見廻《みまわ》りだろう。がっしりとした体つきと浅黒く焼けた肌からして体育教師らしい。手には竹刀《しない》こそ持っていないものの、持っていいとなれば持ちたがるに違いないと俺は思った。もう中年も盛りを過ぎただろうに、威勢のいいことだ。唐突《とうとつ》な怒鳴り声に千反田はびくりと身をすくませて凍《こお》りついたが、すぐに穏《おだ》やかな微笑《びしょう》を取り戻す。そうして彼女は、挨拶をした。

「こんにちは、森下《もりした》先生」

頭を下げる速度といいその角度といい完璧《かんぺき》な会釈《えしゃく》だ。礼をわきまえて場をわきまえない千反田の態度に、俺はついにやけてしまう。森下と呼ばれた教師は出鼻を挫《くじ》かれて一瞬言葉に詰《つ》まったが、これもまたすぐに大声を取り戻した。

「鍵が開いているからどうしたかと思えば、勝手に教室に入り込んでなにをしている、クラスと名前は」

……ふむ、勝手に、ときたか。

「一年B組の折木奉太郎です。ところで先生、ここは古典部の部室ですが、古典部員が部活をしてちゃいけませんかね」

「古典部……？」

あからさまに疑わしげな口振《くちぶ》り。

「古典部は廃部になっただろう」

「さあ、少なくとも今朝はそういう話じゃなかったですが。なんなら顧問《こもん》の先生に……」

「大出《おおいで》先生です」

「そう、大出先生に確認してもらってもいいですよ」

適切な援護を得た適切な説明だ。森下教諭《きょうゆ》の声のボリュームは急激に落ちる。

「ああ、そうか。だったらちゃんと部活してろ」

「初対面なんですよ、俺たち」

「帰る時には鍵を返していけよ」

「わかってます」

森下教諭はもう一度俺たちをじろりと睨《にら》みつけると、若干荒々《じゃっかんあらあら》しくドアを閉めた。その音に千反田はまた身をすくませるが、やがておもむろに呟《つぶや》いた。

「声の……」

「ん？」

「声の大きい先生でしたね」

俺は笑った。

さて。

もう用はないな。

「さて、と。顔合わせが済んだところで帰るとするか」

「ええ？　部活はしないんですか」

「俺が帰るだけさ」

さして荷物の入っていないショルダーバッグを担ぎなおし、俺は千反田に背を向ける。

「戸締《とじ》まり頼むぞ。さっきのに怒鳴られてもつまらんからな」

「え」

そのまま地学講義室を出る。

いや、出ようとしたところで、俺は千反田の鋭い声に呼び止められた。

「待って下さい！」

振り返ると千反田は、到底《とうてい》考えられないことを告げられたかのように、きょとんとしていた。

「わたし、戸締まりできませんよ」

「なんで」

「だって、鍵を持っていませんから」

ああ、そうか。キーは俺が持っているのだ。貸し出し用の鍵がいくつもあるわけはない。俺は自分のポケットからキーを出し、それを指先に引っ掛《か》けた。

「そうか、じゃあお前……、失礼、千反田さんに任せる」

千反田は、答えなかった。俺の指先でぶらりと揺《ゆ》れるキーをじっと見て、やがて首を傾《かたむ》ける。

「どうして、折木さんがそれを持っているんですか」

なにを間の抜《ぬ》けたことを。

「キーがなければ、鍵のかかった教室には入れないからな。ん？　そういえばお前……、失礼、千反田さんはなんでこの部屋に入れたんだ」

「鍵がかかってなかったからです。どなたかはいらっしゃるものと思っていましたから、鍵を用意してこなかったんです」

なるほど。古典部員がゼロだという情報は、それこそOGから手紙でも来ない限り知りえないわけだ。

「そうかい。俺が来た時は、閉まってたけどな」

なんの気なしにそう言ったのが、まずかった。その一言で千反田の目つきが変わった。まっすぐで強い視線。気のせいか、瞳孔《どうこう》が大きくなったようにさえ思える。ぎょっとした俺をよそに、千反田はゆっくりと訊《き》き直した。

「閉まってたって、折木さんが入ってきた時に、そこのドアがですか」

清楚な女学生の変化に戸惑《とまど》いながら、俺は頷《うなず》く。千反田は意識してか無意識にか、つ、と一歩前に進み出る。

「ということは、わたしは閉じ込められていた、ってことですね」

野球部のノックの快音がここまで聞こえてくる。俺はもうこの部屋に用はないが、千反田はちょいと会話を楽しみたいらしい。俺は小さく溜息をついて妥協《だきょう》を選び、ショルダーバッグを提《さ》げたまま手近な机に腰掛《こしか》けた。

閉じ込められていた。千反田はそう言った。そうだろうか。俺は少し考えた。キーは俺が持っていて、千反田が室内にいた。そして俺は鍵をかけた記憶はない。なら、問題は簡単だ。

「鍵はお前がかけたんだろう。内側から」

しかし千反田は首を横に振って、はっきりとした否定を示した。

「そんなことはしていません」

「キーは現にここにある。お前以外に誰がロックできるんだ」

「…………」

「まあ、度忘れってのはよくあることさ」

しかし千反田は俺のこの解釈《かいしゃく》には反応を見せず、唐突《とうとつ》にすっと腕を上げて俺の後ろを指差した。

「ところでそちらはお友達ですか」

振り向けば、ドアが微妙に開いてその隙間《すきま》から詰襟《つめえり》の黒が覗《のぞ》いている。その誰かと俺の視線がばっちり衝突する。いつだって笑っているような、ブラウンがかったその目には見覚えがある。俺はその瞬間声を上げた。

「里志！　盗み聞きとは趣味が悪くなったな！」

ドアが開かれ、そこにいたのは予想に違《たが》わず福部里志だ。やつは悪びれもせず、いけしゃあしゃあと言った。

「やあごめん、盗み聞きのつもりはなかったんだけど」

「つもりじゃない、結果だけが真実じゃなかったか」

「そうは言ってもさ。木石のごときホータローが夕暮迫る学校の特別教室で女の子と二人差し向かってれば、僕でなくっても闖入《ちんにゅう》をためらうよ。馬に蹴られたくはないからね」

なにを言ってやがる。

「お前、帰ったんじゃなかったのか」

「そのつもりだったんだけど、下からこの部屋を見上げたらホータローが女の子といるのが見えたからさ。さすがの僕も、出歯亀《でばがめ》だけは未経験だからね」

俺はその言い草を、里志から視線を外すことで無視する。これはこいつ流のジョークなのだ。だが、あまりに飄々《ひょうひょう》と言うので、里志の物言いに慣れてない人間は、よくこいつの言うことを本気にしてしまう。

どうやら千反田もその口のようだ。

「え、え、わたし……」

さっきまでの静かな態度は消えうせて、面白いくらいにうろたえている。見掛《みか》けによらずこの娘は感情表現がストレートらしく、おろおろとなにかを言おうとしては詰まる様は、わたしは現在うろたえていますよと全身で訴えているようだ。見ている分には楽しいが、放っておくわけにもいくまい。

幸い、里志のジョークを暴《あば》くのは簡単だ。一言訊けばいい。

「本気で言ってるのか?」

「まさか、ジョークだよ」

ほっと千反田から緊張《きんちょう》が抜けるのがわかった。里志のモットーは「ジョークは即興に限る、禍根《かこん》を残せば嘘になる」なのだ。

「……折木さん、こちらは?」

彼女にとってはきつめだったのだろうジョークの後だからか、いささかの警戒心《けいかいしん》を滲《にじ》ませて千反田は訊いてきた。里志を紹介するのに、多くの言葉はいらない。俺は短く答える。

「こいつか。こいつは福部里志。似非《えせ》粋人《すいじん》だ」

「えせ?」

最高に適切な紹介に、里志も上機嫌《じょうきげん》だ。

「はは、ホータロー、上手《うま》い紹介をするね。はじめまして、ええと？」

「千反田です。千反田えるです」

千反田の名は、里志に意外な反応をもたらした。里志が珍しく言葉を詰まらせたのだ。生ける立て板に水の里志が言葉をつっかえさせるところなど、俺は見たことがなかった。

「ちっ、千反田さん？　千反田って、あの千反田ですか」

「はあ、どの千反田かわかりませんけど、神山に千反田の姓はわたしたちの血族だけと聞いています」

「じゃあ、やっぱりそうなのか。驚いたなあ」

里志のこの驚きは本物だ。里志が驚いたことに俺は驚いた。こいつが物事にそれほど新鮮な驚きを以《もっ》て接する人間ではないと知っていたからだ。だが、その里志を驚かしたのがなんなのか、俺にはさっぱり見当がつかなかった。

「おい里志、なにがどうなんだ」

「なにって！　驚いたなホータロー、君が少々知識に欠けるとは知っていたけど、まさか千反田家の名前を聞いたことがないわけじゃないだろう？」

今度は、実に嘆《なげ》かわしいと言わんばかりに大袈裟《おおげさ》に首を振る。言うまでもなく、この態度は里志のジョークだ。そして、里志の無用の知識の深遠さは俺のよく知るところだったので、俺は知らないことを不快とも恥ずかしいとも思わなかった。

「千反田さんの家がどうかしたのか」

里志は満足げに頷いて、講釈《こうしゃく》を始める。

「神山に旧家名家は少なくないけど、桁上《けたあ》がりの四名家といえばその筋じゃ有名だよ。荒楠神《あれくす》社の十文字《じゅうもんじ》家、書肆《しょし》百日紅《さるすべり》家、豪農《ごうのう》千反田家、山持ちの万人橋《まんにんばし》家さ。数字の桁が一桁ずつ上がっていくから、人呼んで桁上がりの四名家。まあ、この四家に対抗できるとしたら病院長入須《いりす》家か教育界の重鎮遠垣内《じゅうちんとおがいと》家ぐらいのものだね」

俺はあまりの胡散臭《うさんくさ》さにしばし唖然《あぜん》とした。

「四名家？　里志、そりゃどこまで本当だ？」

「全部本当さ失礼だね。僕が嘘を言ったことがあるかい？」

里志が本当だと言うときは、大抵それは本当だ。しかし、このご時世に名家とは。気を悪くした表情さえ芝居がかっている里志に、当の千反田から援護が入った。

「ええ、わたし、全部聞いたことがあります。名家かどうかは知りませんけど」

「はあ、まさかね」

「でも、桁上がりの四名家って言い方は初めて聞きました」

じろりと見ると、里志は肩《かた》をすくめた。

「嘘は言ってないよ」

「創《つく》ったな？」

「たまには提唱者になりたくなる時もあるさ」

この話題はこれまでというように、里志は小さく手を叩く。

「さ、ところでホータロー。なにかトラブルでもあったのかい」

お前なら、知りたがると思ったよ。ごまかせばかえって事が長引くことを知っていたので、俺は簡単に事情を説明した。


ちょっと暗くなってきましたね、と千反田が教室の明かりを点《つ》ける。

話を聞いた里志は腕を組んで唸《うな》った。

「ふぅん、それは不思議な話だね」

「どこがだ。千反田が自分で閉めたことを忘れた、でいいだろう」

「いや、大いに不思議だね」

里志は腕組みをしたまま一拍《いっぱく》置く。

「最近は学校に求められる管理レベルはうなぎ上りの天井知《てんじょう》らずだからね。神高も教室の管理って結構うるさいんだよ。ちょっと気をつけて見ればわかるさ、神高のドアは全部、鍵なしじゃ内側からはロックの開閉ができないんだ。生徒が教室の内に立てこもって、怪しげなことをしないようにさ」

得々と語る里志の話に、俺は疑問を覚えた。里志の無意味な知識の量と、それを裏付ける無《む》秩序《ちつじょ》な勤勉さは知っているが、入学一ヶ月足らずの学校の事情を知りすぎてはいないか？

「なんでそこまで知ってる」

「うん。まあ。先週ちょっとした実験をしようと思ったんだけど、忍び込むことはできても内からロックできる教室がなくって困ったことがあってね」

「知ってるか？ お前のやろうとしたことが、学校側がご遠慮願っている『怪しげなこと』だろうぜ」

「そうかな。そうかもね」

「そうともさ」

俺は笑う。里志も笑った。乾いた笑いの応酬《おうしゅう》に、千反田が少し後ずさった気がする。そして、降りる沈黙。俺はそれを咳払《せきばら》いで破る。

「まあ、鍵のことはなにかの間違いだろう。日も暮れかけた、俺は帰るぞ」

机に掛《か》けた腰を浮かしかける。

その肩を、後ろからぎゅっと押《お》さえつけられた。千反田がいつのまにか後ろにまわっていた。

「待って下さい」

「な、なんだ」

「気になります」

思ったより近くにあった千反田の顔に、俺はたじろぐ。

「だから」

「わたし、なぜ閉じ込められたんでしょう。……もし閉じ込められたのでなければ、どうしてこの教室に入ることができたんでしょう」

千反田のその眼差《まなざ》しには、いい加減な返事は許さないというような一種異様な力があった。それに圧倒されて、俺の声は間抜けになった。

「だからなにかの」

「間違いだと言うのなら、誰のどういう間違いでしょうか」

「いや、それは俺の知ったことじゃ……」

「わたし、気になります」

ぐっと身を乗り出してくる。その分、俺は背を反らさなければいけない。

最初に俺は千反田を清楚とか言ったか。とんでもない、それは単に第一印象だ、風貌《ふうぼう》の形容だ。俺は悟った、こいつの本性《ほんしょう》を一番あらわしているのは目だ。全体の印象に似合わず大きく活発そうな目。その目が千反田えるの本性だ。気になる。その一言で桁上がりの四名家のお嬢様は好奇心の申し子になってしまったようだ。

「どうしてでしょう。折木さんも福部さんも、考えて下さい」

「なんで俺が……」

「面白そうだね」

俺の言葉を遮《さえぎ》って、里志は引きうけてしまった。里志ならそうするかもしれない、が、

「俺は帰るぞ、興味がない」

それがわかったからといってなんになるのか。浪費も甚《はなは》だしい。俺は、やらなくてもいいことはやらないのだ。

だが俺がそう思っていることは百も承知のはずの里志が言った。

「いや、ホータローも手伝ってよ。僕もできるだけのことはするけど、なんといってもデータベースは結論を出せないからね」

「馬鹿馬鹿しい、俺は……」

言いかけた俺に、里志が視線を横に流してみせた。それにつられてちらりと千反田を見る。

「……げ」

引き締められた口元、スカートをつかんで握られた拳《こぶし》、上目遣《うわめづか》いの睨《にら》むような視線。俺は無意識に千反田から半歩退いた。迫力だけなら、姉貴にも劣るまい。里志は警告を送ってくれたのだ、付き合っておいたほうが身のためみたいだよ、と。

俺は千反田と里志を交互に見やり、里志がこくりと小さく頷《うなず》くに及んで、素直にその警告に従うことにした。でないと、なにか不幸に見舞《みま》われそうだ。

「……そうだな、面白い。少し考えてみるか」

その口振《くちぶ》りが若干《じやつかん》棒読みになったのは仕方のないところだろう。だがそれで千反田の口元は

緩んだ。

「折木さん、なにか心当たりがあるんですか？」

「ちょっと待ってってやって。ホータローは、動くのが面倒でまず考えるネガティブなやつだから。一旦《いったん》考え出せばこいつ、それなりに当てになるよ」

やかましい。体を使えばポジティブってものでもないだろう。

俺は考えてみた。


千反田がこの部屋に入る時には、ロックは開いていた。そして俺がこの部屋に来た時には、それは確かに閉まっていたのだ。

里志の話を信じるなら、千反田はいかなる間違いがあっても内側から鍵をかけることはできない。しかしそれが恣意《しい》的にではなく、無意識のうちに行われたとすればどうだろうか。つまり例えば、千反田が入室する時にはドアは半ロックの状態で、入室後にスプリングかなにかの作用でオートロックよろしく鍵がかかってしまった、という場合だ。

俺はそれを口にした。その説明に千反田は少し首を傾けることで判断を保留したが、里志は馬鹿にしたような声を上げた。

「それは無理だよホータロー。神高のドアは、ロックがそういう中途半端《ちゅうとはんぱ》な状態だと鍵が抜けないようになってる」

さいですか。

となれば、やはり誰かが意識的に鍵をかけたとしか思えない。俺は訊《き》いた。

「なあ、この部屋に入ったのはいつごろか憶えてるか」

千反田は少しの間考えていたが、

「折木さんのちょっと前です。三分前ぐらいだったと思います」

三分。それは短すぎる、間に合わない。なにせこの地学講義室は、神高の中でも最辺境なのだ。

……どうやらこれは、見かけよりも面倒な話だ。そう思い始めた俺の横で、千反田が素《す》っ頓《とん》狂《きょう》な声を上げた。

「あっ」

「どうかしたかい、千反田さん」

「そうです、考えてみれば、鍵をかけた人は誰かすぐわかるじゃないですか」

「へえ、誰だい」

千反田は微笑んで喜色《きしょく》を浮かべている。……なんだか、嫌な予感がするな。果たしてお嬢様は俺に向き直ると、言った。

「折木さんです。鍵を持っているんですから」

言うと思ったよ。いっそそういうことにしてもいいかと思うが、それを口にする前に千反田が言葉を継いだ。

「ああ、でもそんなことがあるんでしょうか。この折木さんという方は、信用に値するんでしょうか」

……本人の前で言うことではなかろう。俺がなにも言えずにいると、里志が笑って言った。

「信用できるかどうかはわかんないけどね。でもホータローには、千反田さんを閉じ込めて楽しむような趣味はないと思うよ。なにせ得《う》るところがない」

まさにその通り。わかってるじゃないか、俺は得るところがないことはしない。

というわけで、施錠者《せじょうしゃ》は俺でもない。

なら……？

どうもよくわからない。頭を軽くかく。

そう、手がかりでもないと。俺はなぜか、言い訳をするような後ろめたさを感じながら主張した。

「駄目だ駄目だ。なにか、手がかりはないのか？」

「手がかり、ですか？　どんなものが手がかりになりますか？」

千反田のストレートな反問に、俺は言葉を詰まらせる。

「手がかりってのは、手がかりになるものだ」

あまりに苦しい説明を、里志が補足してくれた。

「普段と違う点だよ。なにか普段と違うことはなかった、千反田さん?」

「ええっと。そういえば……」

なにかあるのか。俺はほとんど期待していなかったが、千反田はゆっくりと地学講義室を見まわし、そして視線を落とすと、おもむろに言った。

「さっきから、足元でがたごと音がします」

音?

しているだろうか。俺にはわからない。

が、もし、しているとすれば。

……そうか。なんとなくわかった気がする。里志が表情を覗《のぞ》き込んできた。

「ホータロー、なんかわかったね」

俺は無言でショルダーバッグをつかんだ。

「ど、どこに行くんですか折木さん」

「シーンの再現だ。運がよければ見られるだろうさ」

慌《あわ》てて千反田がついてくるのがわかった。里志もその後ろから来てるだろう。

全てが終わって校門をくぐった時にはもう随分《ずいぶん》と遅くなっていた。野球部がグラウンドにトンボをかけているのが見える。さっき別れを言ったはずの千反田と里志と、俺はなぜか連れ立っていた。いや、二人がついてくるのだ。

千反田がついと俺の横に並んだ。

「そろそろ話して下さいよ。どうしてあれがわかったんですか？」

後ろから里志も言う。

「そうだよホータロー。僕らの間に秘密はなしだよ？」

薄気味《うすきみ》の悪いことを言うな。俺は後ろを振り返りもせずに言い返す。

「別に秘密でもなんでもないぜ。簡単すぎて話す気にもなれんのさ」

「折木さんには簡単でも、わたしは納得してないです」

千反田がくちびるを尖《とが》らせた。……説明するのも面倒だが、はぐらかすのも手間がかかりそうだ。俺はショルダーバッグを担ぎ直し、どこから話したものかと思案する。

「そうだな。千反田さんを閉じ込めるのに使われたのがマスターキーだってことは、いいな？」

俺としてはごく当然の結論を言ったつもりだったが、千反田は驚いた声を上げた。どうやらここから始めなければならんようだ。

「ええっ。どうしてそうなるんですか」

「地学講義室が校舎のはずれにあるからだ。誰かが貸し出し用のキーを使ってお前を閉じ込めて、職員室に返却に行く。俺が鍵を借りてあの教室まで行き、開ける。この手順は三分間じゃ、間に合わない」

「ははぁ。じゃあ他の鍵がなきゃいけないけど、貸し出し用の鍵は一つだけだからね。そこでマスターキーか」

そういうことだ。そして、マスターキーは生徒は使えないのが普通。となればおのずと事態は見えてくる。

そしてもう一つ、事態を決定的に想像させる情報。

「それから、だ。千反田さん、床から音がするって言ったな」

「はい」

「四階の教室の床から音がするのは、普通に考えればどうしてだと思う」

妙にのんびりと里志が答えた。

「そうか。三階の天井をいじっていたからか」

「そう思った。だからマスターキーの使い手に当たりがついたのさ」

放課後の教室で、天井を、天井についているものをかまう人間。それは……。

「でも、よく気づきましたね。用務員さんなんて」

しきりに頷《うなず》く千反田。

三階で俺たちが見たのは、大きな脚立《きゃたつ》を担いだ用務員だった。彼はある教室から出てくると脚立を置き、ポケットからキーを取り出した。そして俺たちの目の前で、三階の教室のいくつかに次々にロックをかけ始めたのだ。つまり彼のしたことは、こうだ。教室のロックを開け、中で作業をする。それが終わると、次の教室に移動し同じ手順を繰り返す。全ての教室で作業を終えると、開いているドアのロックを順々に閉めてまわる。もしそれらの教室のどれかに偶然悪いタイミングで入り込んでいた生徒がいたとしたら、そいつは閉じ込められる破目になっただろう。……千反田のように。

用務員の作業が具体的にはなんだったのか、そこまではわからない。彼が複数の教室をまわっていること、脚立以外の大きな荷物を持っていないところから、蛍光灯の交換でないことは予想ができるが。グロースターターか火災報知器の点検、といったあたりだろうか。まあそのあたりは不定でも構うまい。なぜなら千反田がそれを問うてこないからだ。

かくして一件落着。

「ね。一旦《いったん》考え出せば、それなりに当てになるやつだったでしょ？」

「本当ですね。びっくりしました」

俺はそんなに凄いことをしたとは思わないのだが……。鍵管理システムを知っていたのは里志だし、階下からの音に気づいたのは千反田だ。俺はしらばっくれるつもりだった……。まあいい、こいつらが俺をどう思おうが勝手だ。とにかく、手数をかけさせられた。よく物言う瞳《ひとみ》に素直な感心を浮《う》かべている千反田の横顔を見ていると、俺はつい嫌《いや》みの一つも言いたくなった。

「まあ、あれだな。室内にいながら、どうして千反田さんがロックのかかる音に気づかなかったのか、ってのだけは、俺にもわからんがね」

しかし千反田はそれを嫌みとも皮肉とも思わなかったようで、にこりと微笑《ほほえ》むと、

「そのことでしたら、説明できます。窓の外を……、そう、この建物を見ていたのです」

と言って道の傍《かたわ》らの建物を指してみせた。神山高校の設備の一つ、格技場だ。長い間風雨にさらされ続けところどころ朽《く》ちかけている、おんぼろの木造建築。俺も千反田に倣《なら》って、素直な意見を言った。

「ご執心《しゅうしん》になるようなものとも、思えんがね」

「いえ、この建物には不思議なところがありますよ」

「ほう」

俺にはその不思議は見えないが、後ろで里志がなるほど確かにね、と呟《つぶや》いた。

「古いね。ずば抜けて」

「ええ」

そうか？　そうかもしれない。しかし建物が古いからといってそれに気を取られるというのも、風流というか呑気《のんき》というか、俺には理解のできない行動だ。

やがて道は赤信号に遮《さえぎ》られる。何人か、俺たちと同じ下校中の神高生が信号待ちをしている。

「ところで、挨拶《あいさつ》がまだでしたね」

おもむろに、千反田が言った。

「挨拶？」

「ええ。これから古典部で一緒《いっしょ》に活動していくんですから。よろしくお願いします」

古典部！　そうか、忘れていた。俺は古典部の部室を見るためにあそこに行ったんだった。

思えば、千反田の入部でその必要はなくなっていたわけだが……。全ては結果論だ。入部届は受理され処理されファイルされてしまった。そして神高では、入部後一ヶ月は退部は認められない。

軽く俺に頭を下げた後、千反田は里志に微笑みかける。

「福部さんもどうですか、古典部」

里志は腕を組んで考える素振《そぶ》りを見せたが、すぐに答えた。

「いいね。今日は面白かったし。うん、入るよ」

「じゃあ、福部さんもよろしくお願いしますね」

「いえいえ、こちらこそ。……ホータローもよろしく」

俺にからかうような視線を向けながら、そう言う里志の白々しさよ。

信号が青になった。俺はさっさと歩き出す。ポケットに手を突っ込むと、便箋《びんせん》が指に触れた。

姉貴の手紙だ。そうとも、折木供恵から手紙が来たときに、なにか起きるような気はしてたんだ。

姉貴よ、満足か。姉貴の青春の古典部は新入部員が三人だ。伝統ある古典部の復活、そして俺は思った。おそらくはさようなら、俺の安寧《あんねい》と省エネの日々。なぜなら、

「そうだ、部長を決めないといけませんね。どうしましょう」

「そうだね。ホータローはその手のは全然向いてないんだよ」

こいつらは、俺に省エネを許さないだろうから。里志だけならどうとでもあしらえる、だが問題は……。

目が合った。千反田えるの大きな目がにこりと笑う。

問題はこのお嬢様の方だと、俺はぼんやりと感じていた。

三　名誉ある古典部の活動

考えてみれば、古典部とはなにをする部活なのだろう。それを知る生徒は既《すで》にこの学校にはいない。教員に尋《たず》ねてまわるほど知りたいわけでもない。姉貴にでも訊けばわかるのだろうが、生憎《あいにく》と今頃はベイルートだ。まあ、活動目的が不明なのは珍しくても存在価値が不明な団体は五万《ごまん》とあるから、気にすることでもないのかもしれない。

古典部が復活してから一ヶ月。部室である地学講義室は俺の中で、プライベートスペースではないまでも思ったより気安い場所としての地位を確立しつつあった。放課後に退屈を感じればそこを訪《おとず》れる。里志がいるかもしれない。千反田がいるかもしれない。二人ともいるかもしれない。誰もいなくてもそれはそれで全く構わない。話をすることもあるし、互いに黙っていることもある。里志はもともと沈黙にも平気で耐える性質だし、千反田のお嬢様は好奇心が炸《さく》裂《れつ》しなければおおよその印象通り清楚になってくれることがわかった。そんなわけで、意図したわけではないのだが古典部は部活というより倶楽部《クラブ》といった趣《おもむき》になっていた。

そして、一緒にいて疲れないのであれば、俺はもともと人嫌《ひとぎら》いというわけではない。その辺を、里志は未だに勘違いしている節《ふし》がある。

小雨の降る今日は、俺と千反田がいる。俺は窓際《まどぎわ》に椅子を引いて深くもたれかかり、安いペーパーバックを斜め読みしている。千反田は教室の前の方に陣取って、なにやら厚い本を読んでいる。気だるい放課後の風景、というやつだろうか。

ふと気づけばさっき時計を見てからもう三十分も経《た》っている。意識されない時間は短い。とはいえ、いまの俺の状態を安らいでいるとかリラックスしているとか表現したなら、それは間違いだろう。緊張やストレスがあってこそ、安らぎとかリラックスとかいう状態は存在する。俺はただ、エネルギー消費の少ない状態を継続しているだけなのだ。

沈黙の中、ページを繰《く》る音と、小雨の雨音だけが聞こえる。

「…………」

眠たくなってきた。雨が止《や》んだら、早々に帰ろう。

と、ぱたん、と本が閉じられる音がした。それに続いて、背中を向けたままの千反田がぽつりと言う。

「不毛です」

こちらを見てこそいないが、それは明らかに独り言ではなく、俺への語りかけだった。だが俺はその唐突なコメントになにを言えばいいのかわからなかったので、取り敢《あ》えず訊いてみた。

「一年に二回植えるやつか？」

「それは二毛作です」

打てば響くように答えつつ、千反田は振り向く。

「同じ作物を植えると二期作と呼ばれます」

「さすが農家の娘だな」

「褒《ほ》めて頂くほどのことでは……」

雨音、そして沈黙。

「いえ、そうじゃなくてですね」

「不毛なのか」

「そうです。不毛です」

「なにが」

千反田はじっと俺を見て、それから右手で教室全体を示してみせた。

「この放課後がです。目的なき日々は生産的じゃありません」

もちろん、ただのキルタイム《ひまつぶし》が生産的なわけもなく。俺はペーパーバックを閉じないまま、上目で視線を送る。

「お説ごもっとも。で、お前はなにかこの古典部に求めるものがあるとでも？」

「わたしですか」

この質問は意地悪なものだ。自分がなにを求めているのか知っている者は少ないから。ちなみに俺は、なにも求めていないことを知っている。

千反田は、ためらわなかった。

「あります」

「ほう」

意外だ。イエスと言い切ってくるなんて。興味を覚えてそれはなんだと問いを重ねようとしたが、その前に、

「でもそれは一身上の都合です」

とかわされた。なら、訊くこともない。

そのまま千反田は言葉を継ぐ。

「いまは古典部のことを言っているんです。古典部は部活動ですから、活動しなければいけません」

「それはいいだろう、だがそれにしても目的がない」

「いえ、それもあります」

そして部長の権威と名家の威厳を以《もっ》て、千反田は厳《おごそ》かに宣言した。

「十月の文化祭に、文集を出します」

文化祭だって？

神山高校の文化祭がちょっとは知られていることは、前にも触れた。もう少し追加しておけ

ばそれはこの地方の若者文化の華《はな》なのだ。これは里志の受け売りになるが、神高文化祭の野点《のだて》といえばこの街で茶道《さどう》を修めんとする高校生なら一度は参加すべきと言われているし、ブレイクダンスのコンテストからはプロのバックダンサーを輩出《はいしゅつ》したこともあるそうだ。文芸系統も質は知らないが量は結構なもので、姉貴が各文芸系部活から三年間でもらった文集はダンボール箱一箱分になることを俺は知っている。

いわばそれは、薔薇色《ばらいろ》の高校生活の結晶なのだ。それに対しこの俺がどのような感想を持つかは、まあ言わない方がいいだろう。通り一遍《いっぺん》でない、とだけ、記しておく。

しかし、文集とは。俺は千反田の提案を少し考え、当然の疑問を呈《てい》した。

「千反田、文集ってのは普通は活動の結果で、目的じゃないんじゃないか？」

ゆるゆると千反田は首を横に振る。

「いいえ、結果としての文集を目的にしていれば、それを目的に結果を作るという目的ができます」

「……は？」

「ですから、結果を目的にすればそれを目的にして結果を作ろうとするでしょう？」

ううむ。眉根《まゆね》が寄ってしまう。言いたいことはわかるが、これはトートロジーで間違っていないよな？

ともかくよりにもよって文集とは面倒だ。いや、文集なぞ自分で作ったことはないから面倒とは断定できないが、やらなくてもいいことはやらないのがベストだ。目的も活動も、なんとでもでっち上げられる。必要のない活動、それに費《つい》やされる労力を浪費というのだ。

ペーパーバックを閉じて、置く。

「文集はやめよう。手間がかかりすぎる。それに……、そうだ、執筆者が三人じゃさまにならないぜ」

だが千反田は強硬《きょうこう》に主張した。

「いえ、文集でないと駄目なんです」

「文化祭に一枚かみたいなら、他に方法もあるだろう。模擬店《もぎてん》とか」

「神高文化祭は伝統的に模擬店禁止です。いえ、それよりも、文集でないと駄目なんです」

「……なんで」

「文集作成費が予算で計上されているので、作らないと困ったことになるんだそうです」

千反田は胸ポケットから几帳面《きちょうめん》に四つ折りになった紙を出し、俺に見せた。確かに、今年度の古典部の予算として雀《すずめ》の涙《なみだ》ほど出ている金の名目は「文集作成費」だ。

「それと、大出先生からも作ってくれと頼まれてます。古典部の文集は三十年以上の伝統があるので、あんまり途絶えさせたくないそうです」

「…………」

合理的な人間は概《がい》して頭がいい。だが、それは合理的でない人間が愚かだということを示しはしない。千反田は愚かな人間ではないだろう。だが、決して合理的ではない。はじめに予算の話なり伝統の話から始めて、それから活動目的を決めよう、と言ってくればよかったのだ。名目と伝統の二つと喧嘩《けんか》することがどんなに効率が悪いかぐらいは俺だって知っている。となれば、俺にできるのは苦笑いぐらいだ。

「わかった、わかったよ。文集を作ろう」

かくて安寧《あんねい》の無目的は実にあっさりと終わりを告げた。まあ、健全な状態ではあるのかもしれない。

雨はまだ降っている。まだ帰れないと思って、俺は訊くことを訊いた。

「それで、その文集ってのはどんなしろものだ」

「どんな、ってどういうことですか」

「毎年どんな内容の文集を作ってるのか、ってことだ」

まさかとは思うが、古典部の文集が毎年「『南総里見八犬伝』読破録」とか「『雨月物語』〝白峰《しらみね》〟における天皇観」とか「『大鏡』に見る社会規範《きはん》の変遷《へんせん》に関する前年の考察に対する反論」とかで埋め尽くされていたとしたら、こっちにもそれなりの覚悟がいる。念のために付け足しておこう、例年の質にあわせた文集を作る覚悟ではなく、作らない覚悟だ。とにかく伝統とやらがどういう傾向を持っているのか、知っておくに越したことはあるまい。

しかし、返ってきた答えは否定的なものだった。

「さあ、わかりません。どうだったんでしょうね」

当然か。堂々たる部長っぷりについ忘れそうになってしまうが、千反田も古典部員歴一ヶ月なのだ。

「バックナンバーがあればわかりますけど」

「あるだろうな。どこにかは知らんが」

「部室、とか」

なるほど。

と一瞬でも納得しかけた自分が情けない。俺は人差し指でちょいちょいと床を指してみせた。

「……あ、ここが部室でしたね」

その通り。

「部活をしているって印象が薄かったので……」

それもその通りだろう。

その部室であるところの地学講義室には授業に使うもの以外は置かれていない。目につくのは黒板と机と椅子、あとはせいぜい掃除道具入れがあるだけの、普通の教室。文集がありそうな場所は、ない。

「保存してないんでしょうか、文集」

「そんなことはないだろう」

「じゃあ……、図書室でしょうか」

それが妥当《だとう》だろう。頷《うなず》くと、千反田は自分の手提《てさ》げ鞄《かばん》を手に立ち上がった。

「行ってみましょう」

そして俺の返事を待たずにドアを開けて出ていってしまう。見かけによらず行動的なお嬢様だ。まあいい、どうせ図書室は昇降口《しょうこうぐち》に行く途中《とちゅう》にある。遠まわりではない。

だが、待てよ。今日は金曜日か。もしかすると図書当番は……。


「あれ、折木じゃない。久し振《ぶ》りね、会いたくなかったわ」

図書室に入ると、俺は早速の毒舌《どくぜつ》で迎《むか》えられた。案の定だ、カウンターの内側に小さい体で陣取って番をしているのは、伊原摩耶花《いばらまやか》だった。

伊原とは、小学校以来の付き合いになる。クラスも九年間同じだったから、縁《えん》は深いと言える。顔立ちは子どもの頃から整っていたが、その頃のちょっと大人《おとな》びた童顔のままやつは高校生にまでなってしまった。その幼い顔と低目の背丈《せたけ》とがあいまってころころと可愛《かわい》らしい印象を人に与えるが、だまされてはいけない、それはトラップだ。伊原は常に寸鉄を携帯している。こいつの前で気を抜けば、七色の毒舌が待っている。その容姿に引かれて近づいて、見事撃沈《げきちん》された男どもの秘話はその手の話に疎《うと》い俺にまで伝わっている。もっとも伊原は自分自身のミスにも強烈に突っ込むので、アクは強いが根はいいやつとの評判もないではない。

ちなみに俺はその評判を信じていない。

俺はせいぜい嫌そうな顔で言った。

「よお。会いに来てやったぜ」

「ここは教養の聖域よ、あんたには似合わないんじゃない」

伊原はカウンターの内側で腰掛《こしか》け、足を組んでいる。貸し出しは各生徒が勝手に手続きを取っていくので、図書当番には仕事はなさそうだ。むしろ、返却本《へんきゃくぼん》を棚に戻すのが仕事だろうが、返却箱には何冊か本が積み重なって溜まっている。伊原はさぼるタイプではない、ある程度の量まで溜めてから一気に片付けるつもりなのだろう。その手元には随分と大判の本。暇つぶしに読んでいたのだろうか。

図書室はそれなりに混んでいた。十ほどの四人掛《が》けのテーブルにそれぞれ一人か二人くらいがついて読書に勤《いそ》しんでいる。読書家もいるだろうが、そうでないとしても雨の日は帰るのが億劫《おっくう》だというのは俺にもわかる。その内の男子一人が顔を上げて俺たちを見る。見覚えがある。とんでもない、なんと福部里志だ。

里志は俺と目が合うと、笑顔を浮《う》かべて席を立った。

「やあホータロー、奇遇《きぐう》だね」

それからやつは、伊原と渋面《じゅうめん》の俺とを交互に見て、

「相変わらず仲がいいじゃないか。さすがは鏑矢《かぶらや》中学校ベストカップル」

こいつに言っても無駄だということはわかっている、が、言う。

「ふざけるな」

一方の伊原は淡々と、

「こんな陰気《いんき》な男、なめくじの方がまだましよ」

……なめくじときたか。

それから伊原は余裕の表情で付け加えた。

「ふくちゃん、わたしの気持ちを知っててよくそんな冗談が言えるわね」

「ああ、ごめんよ摩耶花、傷付けてしまったかい？」

「またそうやって冗談めかしてごまかすんだから……。本当、いい加減にしてよね」

そうして里志を睨《にら》みつける。里志はふいと視線を俺の方に逸《そ》らすと、苦笑いをしてみせた。

里志は伊原に求愛されているのだ。いつごろからなのかは知らないが、里志はずっとそれをはぐらかし続けている。

里志はこほん、と咳払《せきばら》いして場を取り繕《つくろ》う。

「まあ、いいじゃないか。それより、古典部員が二人揃《そろ》って図書室になんの用だい」

そうそう。俺は摩耶花を見にきたのではなかった。千反田に促《うなが》すと、突然の寸劇に口を挟《はさ》めずにいたお嬢様は、おずおずと切り出した。

「あ、あの、図書委員さん。もう訊いてもいいですか？」

「はい？　なんなりとどうぞ」

「ここに部活の文集って置いてありますか？」

「ありますよ。そこの壁際《かべぎわ》の棚に」

「古典部のはありますか」

伊原は首をひねる。

「古典部……。さあ、悪いけど憶えがないわね。ちょっと探してみてくれますか」

礼を言って身を翻《ひるがえ》しかけた千反田を、里志が止めた。

「なかったね。その棚はさっきたまたま見てたんだ。摩耶花、そこになかったとしたら？」

「うぅん。開架《かいか》にないなら、書庫かしら」

「書庫かあ」

里志は少し考え込む姿勢を見せてから、訊いた。

「千反田さんはなんでまた文集なんて？」

「文化祭で文集を作ることになりましたから、一度以前の文集を見ておこうと思いまして」

「へえ、カンヤ祭に出品するんだ。ホータローがよく承知したね」

承知、というか、ほとんど事後承諾だったが。それに千反田は俺の承知など必要としなかったに違いない。

ん？　なに祭だって？

「里志、いま文化祭って言ったか」

「言ってないよ。カンヤ祭。聞いたことない？　神高文化祭の俗称《ぞくしょう》だよ」

俗称というとあれか。上智《じょうち》大学の学園祭をソフィア祭と言ったり慶応《けいおう》大学のを三田祭と言ったりする類《たぐい》か。ありそうな話だが、桁上《けたあ》がりの四名家の例もある。素直には信じられない。

「怪しいな。そりゃ本当の話か」

「本当さ、公式についてるわけじゃないらしいけど、手芸部の先輩《せんぱい》はみんなカンヤ祭って呼んでるね。摩耶花、漫研《まんけん》だとどう？」

伊原、漫画研究会だったのか。イメージに合っているといえばそうだし、似つかわしくないとも思える。微妙なところだ。

「うん、みんなカンヤ祭って言ってるわ。委員会でもそう呼んでたし」

「カンヤ。どういう字を書くんですか？」

里志はお手上げのポーズをしてみせる。

「わからないんだ。聞いてまわったりはしたんだけどね」

どうやらカンヤ祭の俗称は本物か。しかし、カンヤ。全く字のイメージが湧《わ》いてこない。まあ、ものの名前などとんでもないところからついたりするもので、由来を探《さぐ》るのはそれだけで一仕事だろうが。そう思っていると、里志が付け足した。

「まあ多分、神山高校文化祭が神山祭になって、カンヤマ祭になって、カンヤ祭かなって思ってるけど」

相変わらずこまめに雑学を積むやつだ。

話が脱線してしまったが、それを引き戻すように伊原がやや強い声で言った。

「それで、文集だったわね。書庫を探せばあるかもしれないけど、ちょっと司書の先生が会議で席を外してるから、入れないのよ。あと三十分もすれば戻ってくると思うけど。待つ？」

三十分か。千反田も只今直《ただいまただ》ちに見たいというわけではないらしく、どうします、と小声で訊いてきた。俺はどちらでもいいのだが、外の雨が激しくなってきた気がする。天気予報では午後からは晴れてきて夜は星が見えるという話だったし、雨宿りを継続しがてら待つのは悪い選択ではなかろう。

「ああ、待とうか」

「帰ってもいいのに」

さて、さっきのペーパーバックの続きでもと踵《きびす》を返しかけると、里志が伊原の袖《そで》を引っ張った。

「摩耶花。さっきの話、ホータローたちにも聞いてもらったらどうだい」

伊原はポーズとしてすこし眉根《まゆね》を寄せてみせたが、頷《うなず》いた。

「そうね。折木、たまには頭を動かしてみる気はない？」

ない。

が、千反田はそうでもないようだ。

「どういうお話ですか？」

それには里志が、いつも浮かべている微笑《ほほえ》みのままで答えた。

「愛なき愛読書の話さ」

「わたしが当番で金曜放課後にここに来るとね、毎週同じ本が返却されてるのよ。今日で五週連続。これだけでも変な話でしょ」

伊原がそう切り出すのをよそに、俺はペーパーバックの続きを読める席を探す。が、あいにくと混み合う室内にはゆっくりできそうな場所がない。仕方なく俺は、さっきまで里志が占《し》めていた椅子に腰を下ろした。

この席はカウンターに近い。千反田たちの話し声は聞こえてきてしまう。

「人気のある本なんですね」

「これが、そう見えるの？」

伊原は手元の大判の本の表を向けた。

「わあ、綺麗《きれい》な本……」

千反田の嘆息《たんそく》に、つい視線がそちらを向いてしまう。なるほどそれは、お嬢様の歓心《かんしん》を買うだけのことはある見事な装丁《そうてい》だった。表紙は革張《かわば》りで、細密な飾り模様が施《ほどこ》されている。なんというか、黒ぎりぎりの濃紺《のうこん》という色合いが重厚さを感じさせた。本の題名は『神山高校五十年の歩み』。厚さもあるが、縦横の幅《はば》が相当にある大きな本だ。

「ちょっと中を見ていいですか」

「どうぞ」

ショルダーバッグからペーパーバックを取り出し、さっきまで読んでいたページを探す。と、薄紙《うすがみ》のページに覆《おお》い被《かぶ》さるようにして上質紙のページが視界に飛び込んできた。千反田が、そうするのが当然だと言わんばかりに『神山高校五十年の歩み』を開いて見せたのだ。興味はないがさりとて払いのけるわけにもいかず、俺もその内容に目を走らす。それは確かに学校史以外のなにものでもなかった。こんな感じの文がひたすら続いている。

昭和四十七年度（一九七二）

この年の日本と世界

五月十五日、沖縄の施政《しせい》権が返還《へんかん》され、沖縄県が発足。九月二十九日、日中共同声明に調印、日中国交が正常化。

この年、地価物価が異常な昂騰《こうとう》を見せる。

この年の神山高校
○六月七日、県弓道新人戦において神山高校弓道部初の優勝。
○七月一日、一年生キャンプ予定が台風の為《ため》中止。
□十月十〜十四日、文化祭。
□十月三十日、体育祭。
□十一月十六〜十九日、二年生修学旅行。長崎《ながさき》・佐世保《させぼ》。
□一月二十三・二十四日、一年生スキー研修。
○二月二日、車輛《しやりよう》暴走事故により一年生大出尚人《なおと》君が死亡。追悼《ついとう》集会。

全項《ぜんこう》細かい文字ばかりで、これを読破するのは相当に骨だと思われる。俺はこれを毎週借りてまで読み通す気にはならないが、本の内容が内容なだけに、そうしなければならないやつがいたとしても奇妙《きみよう》ではないだろう。

「ホータロー、いま『これを毎週借りるやつがいてもおかしくない』とか思っただろう」

人の心を読むなテレパスめ。

俺が反論せずにいると、伊原がろくにない胸を反らせてふんぞり返った。

「そんな簡単な話なわけがないじゃない。あんたここで本借りたことないでしょ。いい、教えてあげるからよく聞きなさい。うちの図書室の貸し出し期限は二週間なの。だから、毎週借りる必要はないのよ」

「なのに、この本は毎週返却されてるんだってさ」

……なるほど。確かに、おかしな状況ではある。

「誰が借りたかはわかるんですか？」

「もちろん。裏表紙の裏に貸し出しリストがあるから、見てみて」

言われるままに千反田がリストを見て、

「あら？」

声を漏らす。

「どうした」

そのリストには、借りた日付と借り主のクラス、名前が書かれている。それを見ると、確かに毎週この本が貸し出されているのがわかる。だが千反田はそれで声を上げたのではないようだ。指でなぞって、借り主の欄を俺に示してみせる。

今週の借り主は、二年D組、町田《まちだ》京子《きょうこ》。

先週の借り主は、二年F組、沢木口《さわきぐち》美崎《みさき》。

先々週の借り主は、二年E組、山口亮子《やまぐちりょうこ》。

先々々週の借り主は、二年E組、嶋《しま》さおり。

先々々々週の借り主は、二年D組、鈴木《すずき》好恵《よしえ》。

「要するに、毎週違《ちが》う人間が借りているってことか」

「それだけじゃありません」

千反田は日付の部分を示した。注意してみると、その最新の日付は今日のものだ。そこから七を引くと先週の貸出日になっている。

「毎週、金曜日に貸し出されています」

「そうなのよ。貸出日と返却日が同じなの。『町田京子』は今日この本を借りて、今日返したことになるわね。以下同文で、五週連続。借りた時間もわかってるわ。五人とも昼休みよ？昼休みに借りて放課後に返してるんだから、読むどころか眺める時間もないでしょうに」

「…………」

「どうだい、気になるだろう」

本を伊原に返しながら、千反田はゆっくりと頷《うなず》く。

「ええ。……わたし、気になります」

普段より語気の強い声。この前と同じだ、瞳孔《どうこう》が大きくなったようにさえ思える、強い興味の発露《はつろ》。

「どうしてでしょう」

伊原の謎かけは、お嬢様の好奇心に火をつけてしまったのか。水を向けるとは里志のあんぽんたんめ。どうなっても知らんぞ、と思いながら、俺はペーパーバックに戻ろうとする。

が、それは甘かった。矛先《ほこさき》が俺に向くとは思わなかった。千反田は再び、ペーパーバックの上に『神山高校五十年の歩み』を被《かぶ》せてきたのだ。

「どうしてだと思います、折木さん」

「お、俺？」

里志が、一瞬平常の微笑みではなく、からかうような笑みを見せた。瞬間、俺は悟った。里志はこうなることを予想して俺を嵌《は》めたのだ。おのれ奸智《かんち》に長《た》けた悪党め。

「ちょっと考えてみましょう」

「…………」

「さあ、折木さんも！」

なぜ、なぜ俺が。千反田が好奇心旺盛《おうせい》なのは大いに結構だし、里志の悪ふざけも言ってみればやつの美点の一つかもしれないが、俺がそれに付き合う義理はいっかなないはずなのに。が、事ここに至っては言い逃《のが》れのほうがかえって面倒になりそうなのは、確かなのだ。結局はこう言わざるを得ない。

「……そうだな、面白い。少し考えてみるか」

傍《かたわ》らで伊原が里志に言う。

「ふくちゃん、折木って頭良かったっけ？」

「あんまり。でも、こういう役に立たないことだと時々役に立つんだ」

お前ら、言いたい放題だな。

俺は考えてみた。


毎週別の人間がこの本を借りその日のうちに返すという行為が偶然に五週間連続で発生しても、それはありえないことではない。が、俺はそこまで偶然の神を信じていないし、第一それでは千反田が納得しないだろう。大事なのは真実ではない、千反田が納得することなのだ。

偶然という結論を排《はい》すると当然に、この本が読まれるために借りられたのではないことがわかる。昼休みに借りて放課後に返していてはとてもこれを読む暇《ひま》などなかろうし、考えてみれば家に持ちかえらないのなら図書室で読めばいいのだから、貸し出し手続きをする必要さえない。結論。この本は、図書の本分を果たすために使用されているのでは、ない。とすると？

「……本を、読む以外に使うとしたら、どう使う？」

千反田いわく、

「重ねれば、浅漬《あさづ》けが漬かります」

里志いわく、

「腕につければ、盾《たて》になるね」

伊原いわく、

「何冊か積めば、枕《まくら》にいいかもね」

お前らにはもう訊かない。

視点を変えよう。

毎週、別の人間が借りているのはどういうわけか？　偶然、という考え方を排除《はいじょ》した以上、考えられるのは二つ。彼女らに共通点はないが、この本を金曜日の午後に使うことが流行《はや》っている場合と、彼女らが結託《けったく》してこの本を使用し、当番制で順番に借りていっている場合だ。

だが、流行といっても。そうだな、占《うらな》いとか。「今月の貴女《あなた》のラッキーアイテムは学校史、金曜日の午後に借りてその日のうちに返すと彼氏とうまくいくかも？」

……馬鹿馬鹿しい。

後者の場合、彼女らには共通点があることになる。

借りていったのは、名前から見て全員女だろう。だが、これはほとんど役に立たない共通項だ。神高から無作為《むさくい》に五人を抽出《ちゆうしゆつ》してそれが全員女である可能性は充分に高いし、そうでなくても男であれ女であれ集団を作る時に同性で群れるのは珍しいことではない。

他に共通点といえば、全員が二年生だ。だが、クラスは違う。

ふうむ……？

そういえば、

「どうだい、なにか思いついたかい」

……なにか浮《う》かびかけたが、里志に話しかけられて吹っ飛んでしまった。なんだっけ。

まあ、とにかく初めに思いついたことを言う。

「なにかの合図ってのはどうだ。例えば……、本を表にして返してあったら可、裏なら不可とか」

「なにが可なんですか？」

「例えばの話さ。なんでもいい」

千反田は小首をかしげて考え出した。いいぞ、そのまま納得してしまえ。

だが、反駁《はんばく》された。千反田にではない、伊原にだ。

「そんなわけないじゃない。だって、ほら」

伊原の指したのは、図書の返却箱だった。返却箱の中には本が積み重なっている。なるほど、表も裏もわかりはしない。本になんらかの仕掛《しか》けをしたとして、それがわかるのは返却箱を開ける者だけだ。それはつまり金曜放課後の図書当番。

やめた。迂闊《うかつ》なことを言うと伊原の餌食《えじき》だ。

どうも思いつかない。キーは揃《そろ》っているのかもしれないが、俺にはわからない。なにかもう一つ、ヒントというか手がかりがないと。俺は、伊原の手の中の秀麗《しゅうれい》な装丁《そうてい》が施《ほどこ》された表紙を見つめ、どこで降伏宣言を出すかそればかりを考えていた。

と、その視界に突然千反田が割り込んでくる。カウンターに身を乗り出して、伊原が胸の前で構えた本に顔をほとんど押し付けんばかりに近づけて、じっとしている。

「え、え?」

突然詰《つ》め寄られてたじろぐ伊原。気持ちはわかる。

「なんだ、どうした千反田。表紙にあぶり出しの暗号でも書いてあったか」

千反田はしばらくそのままにしていたが、

「……なにか、匂《にお》いがします」

と呟《つぶや》いた。

「そうか? 伊原、ちょっと貸してくれ。……なにも匂わんぞ」

「いいえ、確かに」

「本の匂いじゃないのかな。インクの匂い、図書室の匂い」

千反田は里志のその言葉にも首を横に振る。

俺から受け取って伊原と里志も嗅《か》いでいるが、わからないようだ。眉をひそめて、首をひねっている。

「わかりませんか。刺激臭《しげきしゅう》です。シンナーのような」

「危険なことを言うね」

「匂い……。わからないわ」

確かに俺にもわからない、が、千反田の勘違いとも思えなかった。お嬢様がこうまではっきりと断言しているのだ。とはいえまさかシンナーそのものの匂いでもあるまい。

とすれば……。ふむ。

……なんとなくわかった気がする。

だが、答え合わせが面倒だな。

どうするかと考えている俺の心を、またしても里志が見抜いてくる。

「ホータロー、その顔はなんかわかったね」

「え？　まさか、折木が？」

最大限に疑わしそうな視線を向けてくる伊原を意識しながら、だが俺は素直に頷《うなず》いた。

「まあな。確定はできんが……。千反田、運動する気はないか。行って欲しいところがある」

「え、わかったんですか。どこに行けばいいんですか」

千反田は場所さえ聞けばすぐにでも飛び出していきそうだったが、里志が微笑みのまま制止する。

「だまされちゃいけない千反田さん。ホータローに使われるなんてあっちゃいけないよ。こいつは使ってこそ役に立つんだから。ホータロー、どこなんだい」

随分《ずいぶん》な言い草だな。伊原の前だからか、里志の物言いはいつもより過激だ。だがまあ、当たってないこともないので俺は腹も立ててない。確かに俺は誰かに使われなければ、なにもしないだろう。

「いいだろう、行ってくるよ。今日は雨で体育が潰れたからな、可処分エネルギーはまだ残ってる」

そう言うと、千反田も一緒《いっしょ》に来るようだった。そして、

「ふうん、付き合ってあげるわ。本当に折木にわかるんだったら、わたしもちょっとショックだし。……ふくちゃん、ちょっと留守番お願いね」

そう言って伊原はカウンターから抜けてきた。いいように使われた里志はしばし茫然《ぼうぜん》としていたが、やがてなにも言わずにカウンターに入っていく。里志の悲しそうな顔を見たのは、随分と久し振りのことだ。

満足すべき成果を収めて俺たちは図書室に戻る。

「どうだった」

「ふくちゃん、折木って、ちょっとヘン」

「変だよ。知らなかったの、摩耶花」

「あんなの、どうしてわかるんだろ……」

どうして、と言われると困る。こんなものは閃《ひらめ》いた者勝ちだし、閃きが来るかどうかなんてのはほとんど運だ。

「本当に折木さんには驚かされます。折木さんの頭の中には、わたしも興味あります」

　嵐の夜、街外れの館（もちろんゴシック調の洋館）の地下室で俺の開頭手術をする千反田が想像されて、恐《こわ》かった。俺に言わせれば、誰にもわからないような微《かす》かな匂いを嗅ぎ取った千反田の嗅覚《きゅうかく》こそが謎だが。

「折木さんなら、もしかしたら……」

　？　もしかしたら、なんだというのだ。有機コンピュータの材料になるとか言わないでくれよ。

　伊原と席を入れ替わりながら、里志が訊いてくる。

「さ、じゃあ説明してもらおうか、ホータロー。まず、どこに行ったんだい」

　カウンターに肘《ひじ》を乗せてもたれかかりながら、俺は答えた。

「美術準備室だ」

「美術準備室？　校舎の反対側じゃないか」

「だから行きたくなかったんだ」

「そこになにが」

「まあ聞けよ」

　美術準備室で千反田たちにした説明を、もう一度繰り返す。

「その本を使うとすれば、それは金曜五時限目か六時限目、あるいはその両方に跨《また》がってだ。休み時間にあんなでかいものを使う女子なんかまずはいない。読むやつなんか尚更《なおさら》だ。そして、学年が同じでクラスが別の生徒が関係する授業といえば」

さっき思い出しかけて、里志のせいで忘れたのはこれだ。千反田に初めて会った時に考えたこと。千反田は俺をどこで見かけたのか？

「体育か、芸術科目だ。いくらなんでも体育で本は使わない。見てみろよ、その本の表紙を。なかなか凝《こ》っているし、いい色合いだとは思わないか？　五人の女生徒は、あの本を授業に使っていたのさ。毎週、借りに行く当番を決めてな」

里志が口を挟《はさ》む。

「毎週ってのがわからないね。貸し出し期間は……」

「伊原と同じことを訊くな。気が合うってことか？　里志、お前は読みもしない本を手元で保管するのか？　毎週図書室に返すのが、一番楽な管理方法だったんだ」

「……なるほどね。で、見つかったものは」

「もうわかってるだろう。絵だよ。二年D・E・F組合同授業芸術科目美術科で制作された絵」

それは数枚あって、タッチは違えど同じものが描《えが》かれていた。女生徒の肖像画《しょうぞうが》で、傍《かたわ》らのテーブルには花が添《そ》えられており、彼女が手に持って視線を落としているのは、無論あの装丁《そうてい》の美麗《びれい》な学校史、『神山高校五十年の歩み』だった。実際は細かい飾り文字は塗り潰されるように描かれており、美術的モチーフとして味があるかと言われれば怪しいものばかりだったが。

「やるね、ホータロー。じゃあ、千反田さんが嗅《か》いだ匂《にお》いは」

「もちろん、絵の具の匂いさ。そいつでわかったんだ。美術準備室には充満《じゅうまん》してたぜ」

里志は二、三度、気のない拍手をした。

「いや、見事見事。おかげでなかなか面白い時間を過ごさせてもらったよ」

それには千反田も微笑《ほほえ》んで賛意を示した。

「ええ。楽しかったですよ。時間を短く感じました」

「わたしは何時間もかかってわからなかったのに……。折木にこんなことができるなんて！」

そのあたりがお前たちと俺との違いだな、とつくづく思う。本の借り方がおかしいといって
それを不思議に思う伊原や、提示されたそのどうでもいい珍事《ちんじ》に大いに興味を示す千反田や、
一連の過程を楽しむことを知る里志とは俺は違うのだ。カタルシスを感じているようでさえあ
る連中を前にして俺が思ったことは、カンヤ祭に対して俺が抱《いだ》いている印象とどこか似通った
ものがある。

なんというか……。まあ、いいさ。

雨は随分《ずいぶん》弱くなっている。さあ、帰るか。

そう思いショルダーバッグをつかむと、千反田に止められた。

「あ、まだ帰っちゃ駄目ですよ」

「なんでだよ。まだなにかあるのか？」

気づくと、里志と伊原の視線が冷たい。なにか失敗したか？

「折木、あんたなにしにきたの」

なにって、愛なき愛読書の……。

いや、違った。そうか、文集だ。里志が笑う。

「もうちょっと待ってなよ。ホータローって時々抜けてるんだよね」

「時々？　ふくちゃん、過大評価じゃない？」

ああ、お前の前で失態を演じるほどの間抜けはなかろうさ。

続けてまだなにか言おうとしている伊原に、カウンターの内側から声がかかった。

「伊原さん、ご苦労様。もう帰っていいわよ」

「あ、はい。戻ってたんですか、糸魚川《いといがわ》先生」

声の主は教師だった。俺は見るのは初めてだが、この人が司書だろう。中年も終わりに近いだろう年の頃で、随分と小柄《こがら》だ。名札をつけている。糸魚川養子《ようこ》教諭《きょうゆ》、か。

司書の登場に、里志が素早く交渉を始めた。

「先生、古典部の福部里志です。僕たちは文集を作るためにバックナンバーを探しているんですが、開架《かいか》にはないようなので書庫を調べてもいいですか？」

「古典部？……文集？」

糸魚川教諭は驚いた声を上げた。やはり古典部は廃部と思われているのだろうか。

「貴方《あなた》たち、古典部なの。そう……。残念だけど、文集のバックナンバーは図書室にはないわ」

「ええ、だから書庫を」

「書庫にもないのよ」

「見落としということも」

「いいえ」

妙にはっきりと答えるな。とはいえ司書が本を隠す理由など到底《とうてい》思いつかない。となれば、最近庫内整理でもしたのだろう。

完全に否定されては、里志も引き下がるしかない。

「そうですか。わかりました。……だそうだよ、千反田さん」

「……困りましたね」

千反田は微妙に曇《くも》った表情を俺に向ける。そんな顔をされても、俺は肩をすくめて言うぐらいのことしかできない。

「そのうち見つかるさ。帰ろうぜ」

言ってショルダーバッグを肩にかけようとすると、伊原が冷やかしてきた。

「晴れ晴れとしてるわね。問題解いて気分はすっきりってとこかしら？」

別に解きたかったわけじゃない問いが解けたからといって、気が晴れたりするものだろうか。伊原よ、その指摘は完全に的外れだ。俺はそう言おうと思ったが、言ってどうなるものでもなし、と肩をすくめるだけ。

「そうですね、帰りましょうか。……収穫もありましたし」

千反田が訳のわからないことを言う。

なんにしても、用は終わった。俺は今度こそバッグを肩にかけた。いつのまにか雨音はしなくなっていて、雲間から光が射《さ》し込む様子がはっきりと確認できた。そして、踵《きびす》を返した俺は、さっきも聞いた千反田の小さな呟《つぶや》きを再び耳にしたような気がしたのだ。

「そう、折木さんなら、もしかしたら……」

四　事情ある古典部の末裔《まつえい》

ある日曜日、俺は千反田に呼び出された。学校以外で会いたいという。会う場所は任せると言われたので、俺は喫茶店「パイナップルサンド」を指定した。焦茶色《こげちゃいろ》を基調にした渋い店内装飾と、俺の知るどの店よりも酸味を利かせたキリマンジャロの味がお気に入りの店だ。構えは小さいが看板が目立つので、見つけにくくはないと思う。

いまどき有線放送も流さない店内の静けさは、それ自体は確かに俺がこの店を気に入る要素の一つなのだが、待ち合わせをする場合には退屈を感じさせる。約束の時間にはまだ数分あるのに、俺はボックス席でコーヒーの残量を睨《にら》みながら、千反田がまだ来ないことに腹を立てていた。

千反田がやって来たのは、俺の腕時計が約束の一時半を示す直前だった。狭い店内のこととてすぐに俺を見つけた千反田は、ほとんど白のようなクリーム色のワンピースを翻《ひるがえ》して俺の向かいに腰《こし》掛《か》ける。その私服以外に千反田は、装《よそお》いと言えるほどの装いをしていなかった。

「お呼び立てしてすみません」

俺は、いいさ、と言うかわりにコーヒーの残りを飲み干す。マスターが注文を取りにくる。千反田はメニューをざっと見て、

「ウインナーココアをお願いします」

と甘いことを言い、裕福でない高校生の俺は追加注文をしなかった。

本題前の世間話として千反田がこの店に好印象を持ったことを語り、それに対して俺がこの店でコーヒーを頼まないのは上野動物園でパンダを見ないようなものだと言い、千反田がさらに反論して自分がいかにカフェインに弱いかを豊富な実例を挙げて説明しているところでウインナーココアがやってきた。ココアに山のように盛られた生クリームに俺はぎょっとした。千反田は甘党なのだろうか。

千反田はスプーンで生クリームを突き崩しはじめた。どことなく楽しそうだ。このまま放っておくとココアを飲んで世間話をしただけで帰ってしまうのではなかろうか。半分以上本気でそう危惧《きぐ》した俺は、こちらから水を向けることにした。

「それで、なにか用だったか」

「はい？」

神聖なる日曜日に人を呼び出しておいてその態度か。

「なんのために俺をここまで呼び出したのかってことだ」

全く無音でココアを一啜《ひとすす》りし、小さく「おいしい」と呟いてから、千反田は小首をかしげた。

「ここまでって、このお店を指定したのは折木さんです」

「帰る」

「ああっ、待って下さい！」

スプーンを置き、カップを置いて、千反田は居住まいを正す。

「ごめんなさい。わたし、ちょっと緊張しているんです」

落ち着き払《はら》ったその様子は充分《じゆうぶん》冷静なように思えたが、そう言われれば表情が硬《かた》いように見えなくもない。なにより、自分が緊張しているなどと口走ってしまうこと自体がこいつがいま普通でないことをよく示しているだろう。それにつられて、俺はつい過ぎた軽口を叩いてしまう。

「緊張？　告白でもするつもりか」

口に出してから、それが千反田相手に通用するジョークかどうかは微妙なことに気がついた。あ、いや、とみっともなく取り繕《つくろ》おうとする。が、千反田は少しためらうような様子を見せたかと思うと、こくりと頷《うなず》いたのだ。

俺は慌《あわ》てた。慌てたので、マスターに向かってこう告げた。

「……コーヒーをもう一杯」

そんな俺に構わず、千反田は静かに言う。

「告白といえばそうかもしれません。わたしは、折木さんに頼みがあるんです。本当ならこれはわたしだけの問題ですから、お願いできる筋合いではありません。だからまずは、話を聞いてくれませんか」

千反田はもうココアには目もくれない。そういうことか……。シリアスは苦手だが、俺は言った。

「ふん。話してみろよ」

「はい」

それから、唾《つば》を飲むほどの間があいて、千反田はゆっくりと話しはじめた。

「……わたしには、伯父《おじ》がいました。母の兄で、関谷純《せきたにじゅん》といいます。十年前にマレーシアに渡《と》航《こう》して、七年前から行方《ゆくえ》不明です。

子どもの頃のわたしは……、いえ、いまでもわたしは充分に子どもでないとは言えませんけれど、十年前のわたしは伯父によくなついていました。わたしの憶えている限り伯父は、どんな質問にも必ず答えをくれる人でした。子どもの話ですから、きっと突拍子《とっぴょうし》もないものも多く含《ふく》まれていたでしょう。実際にどんなことを訊《き》いたのか、わたしはほとんど憶えていません。ただ、伯父には知らないことがなかったというイメージだけが残っています」

「それは大したものだ」

「博識だったのか弁が立つ人だったのかは、いまではわかりませんけど」

そう俺が言いそうなジョークを言って、口元だけで笑う。

「お前に伯父がいたことはわかったよ。だが俺にも伯父の二人や三人はいる。行方不明はいないけどな。それがどうして俺への頼みになるんだ。まさか、マレーに行って探してこいとは言わないな」

「いいえ。伯父が消息を絶ったのはベンガル地方で、ええと、インドです。わたしが折木さんに頼みたいのは……、わたしが伯父から、なにを聞いたのかを、思い出させて欲しいということです」

そこまで話して、千反田は一旦《いったん》話を切った。それは適切だった。自分がなにを言われたのか、俺はしばし理解できなかったからだ。千反田が伯父からなにを聞いたかを、俺に訊く、だと？

「……無茶苦茶だ」

「先走りすぎましたね。伯父にまつわる思い出は、あまりに幼い頃の話ですから、ほとんど憶えていません。でも、ただ一つだけ強く憶えていることがあるんです。思い出したいのは、それ一つです」

ココアを味わうためというよりは口を湿《しめ》らすためだろう、千反田はカップをくちびるにつけた。それから少しボリュームを落とし、続ける。

「まだわたしは幼稚園児《ようちえんじ》でした。どういうきっかけだったのか、わたしは伯父が『コテンブ』だったことを知りました。いつでも家にあったお菓子《かし》『スコンブ』に語呂《ごろ》がよく似ていたからだと思います、わたしは伯父の『コテンブ』に興味を持ちました」

酢昆布に、古典部。駄洒落《だじゃれ》もいいところだが、子どもの好奇心はパターンが読みづらい。そういうこともあるだろうか。ましてその子は後年の好奇心の権化《ごんげ》、千反田えるなのだ。

「わたしは伯父に『コテンブ』の話をいろいろしてもらいました。そしてある日、わたしは『コテンブ』にまつわるなにかについて伯父に尋《たず》ねました。いつもなんでもすぐに教えてくれた伯父が、その時だけは妙に返事を嫌がっていたように思います。それが悔しくって随分駄々《ずいぶんだだ》をこねたので、散々渋った伯父もやっとその問いに答えてくれました。そして、その答えを聞いたわたしは……」

「お前は？」

「……泣きました。恐ろしかったのか悲しかったのか、大泣きしました。驚いて母が飛んできたそうですが、それは憶えていませんでした。憶えているのは、伯父がそんなわたしをあやしてくれなかったことです」

「ショックだったか」

「さあ、多分そうだと思います。ずっと憶えていましたから。ですが後々になって、そうですね、中学生になる頃には、気になりだしました。伯父はなぜ答えを渋ったのか。なぜあやしてくれなかったのか。……折木さんは、どう思いますか」

問われ、俺は考えてみた。子どもの疑問にいちいち付き合えるほど気がよく、またその質問に全て答えられるほどの機転の利く人物が、なぜその時に限って泣く子を放っておいたのか、だと。

そんなものは、すぐにわかる。俺はせいぜい余裕を見せて言った。

「お前の伯父は、撤回《てっかい》できないことをお前に話したんじゃないか。泣く子を相手にも、いまの話は嘘だったって言えないような肝心《かんじん》なことを伝えたんだろう」

千反田はふうっと微笑《ほほえ》んだ。

「ええ、わたしもそう思います」

正面から向けられる視線。……ふん。コーヒーはまだか？

「そう思うようになってからわたしは、あの時なにを聞いたのか思い出したいと切実に思うようになりました。やれるだけのことはやったつもりです。当時の環境を再現できればと思って倉にも潜りましたし、疎遠《そえん》になっている関谷家にもできる範囲で接触しました」

こいつなら、やれることは徹底的にやったに違《ちが》いない。

「ですが、霧がかかったようというのでしょうか。どうしても思い出せなかった……。そうなれば必要なのは、折木さんの言葉を借りれば、手がかりです」

「なるほどな。それがお前が古典部に入部した『一身上の都合』か」

千反田はこくりと頷いた。

「ですが、古典部が廃部寸前だとは知りませんでした。容易なこととは考えていませんでしたが、話を訊く相手すらいないとは思いませんでした。職員室にも行きましたが、伯父が高校生だった三十三年前のことを知っている先生はいなかったんです」

「で、なぜそこで俺に助けを求める?」

「それは……」

ふと千反田が言葉を切ったかと思うと、マスターがコーヒーを持ってきた。髭面《ひげづら》のマスターは全く機械的に空のカップを下げ、代わりを置いていく。マスターが去って、千反田は思い出したようにココアを一口飲んだ。

「……部室の鍵《かぎ》がかかっていた時も、伊原さんが図書室で問題を出した時も、折木さんはわたしが想像もしなかった結論を出してくれたからです。図々《ずうずう》しい考え方だとは思いますが、折木さんならわたしを答えまでつれていってくれると思うのです」

俺は、自分がしかめ面になるのを感じた。

「買い被《かぶ》られたものだな。あんなものは閃《ひらめ》きだ。閃きってのは要するに運だ」

「なら、その運に頼らせて下さい」

「気が進まん」

気が進むわけがない。第一にそれは、千反田の言う通り引き受ける義理のない厄介事だ。そして第二に、もし俺がなんの成果も出せなかったら、俺はきっと千反田に対し申し訳ないと思い自分の無力を呪う破目になるだろう。ことは気楽な知恵試《ちえだめ》しじゃない、千反田という一人の人間の大袈裟《おおげさ》に言えば人生観に関わってくることだ。それに対し俺が、この省エネ主義の奉太郎が少しでも責任を負うと？　ご冗談を。

「なぜ俺だけなんだ。頼れるやつは他にもいるだろう」

千反田が目をみはった。その意味に気づきもせず、俺は言った。

「人海戦術を使えばいい。里志にも伊原にも、お前の他の友達にも頼めばいいだろう」

言葉は返ってこなかった。遠回しな俺の拒絶は、千反田の沈黙を誘った。千反田は小さくうつむくと、それと知れないほどそっと溜息をつき黙り続け、それからぽつりと呟《つぶや》いた。

「わたしは、折木さん。過去を吹聴《ふいちょう》してまわる趣味はありません」

「…………」

「こんなの、誰にでもする話じゃありません」

はっとした。そうか。当然そうに決まっていた。

なぜ千反田はわざわざ日曜日にひとを呼び出してまで一対一で話をする機会を作ったのか？答えは簡単だ、伯父の話をあまり多くの相手に知られたくないからだ。千反田は、どうしてそう思ったのかは知らないが俺を信用して打ち明けてくれたというのに、俺ときたら「人海戦術を使え」などと。

知られて恥ずかしいわけではないだろう。が、誰しも自分の中には秘密の部分を持っているものではなかったか。

俺は頬《ほお》の紅潮を感じながら、頭を下げる。

「……すまん」

千反田は微笑んで、多分許してくれた。

そして、再びの沈黙。千反田は、俺の次の言葉を待っている。俺は、言うべき言葉を見つけていない。コーヒーから湯気が俺たちの間に立ち上る。千反田のウインナーココアは冷め切ってしまったのだろうか、もう湯気は上がらない。

俺はカップに手をつけた。それが緊張を破ったのか、千反田の表情がふっと緩《ゆる》む。

「わたしは随分無茶を言っています。わたしの思い出に折木さんまで巻き込んではいけないことは、わかっています。でも、わたしは……」

「………」

「折木さんがわたしの疑問に答えてくれたとき。……折木さんに伯父を重ねていたのかもしれません。伯父よりもずっと愛想《あいそう》が悪いけれど、でもあなたは答えてくれました。だから……。いけません、わたし、甘えていたんでしょうか」

「高校は三年間ある。その間にゆっくり探せばいい。どうしようもなくなったら、俺も手伝わないとは言わん」

それには、千反田はゆるゆると首を横に振った。

「わたしは、伯父が死んでしまう前に、伯父のことを思い出したいのです。伯父がどうしても曲げられなかったこと、わたしに伝えたことがなんだったのか、それを胸に伯父の葬儀に臨《のぞ》みたいのです」

「死んでしまう？」

　おかしな話だ。死人は死なない。行方《ゆくえ》不明者も死なない。

　……いや。

　そうだ。行方不明者は、死ぬ。

「伯父が、関谷純が行方不明になって今年で七年です。ご存知かもしれませんが、七年の間生死が不明の人間は法律的には死亡したとして扱うことができます。……関谷家では普通失踪宣告を申請しささやかですが葬儀を営みます。伯父の問題には、一区切りつくことになります」

　そう告げて、小さく息を吐き出したかと思うと、千反田はふと視線を窓の外に逸《そ》らした。つられて俺もそちらを見るが、なんでもない普通の街並み以外そこにはない。

　もう一口、コーヒーを飲む。千反田には、もう言うべきことはないだろう。

　俺は思う。

　思い出したい過去がある。それはとりもなおさず思い出す価値のある過去があるということだろう。俺のモットーに照らせば、それは随分と奇異《きい》なことに思える。いまそこにある危機を回避するだけの俺に、思い出などなんの意味があるだろうか。

　だが千反田は、落としてしまったものを過去から取り戻《もど》そうとしている。思えばそうだ、千反田はその好奇心で現在を掘《ほ》り下げているようなやつだ。そいつが過去を掘ろうとするのは不思議でもなんでもない。伯父への手向《たむ》けに、そして多分それ以上に自分のために千反田は過去を掘ろうとする。そして、不幸にしてこいつにそれを成し遂《と》げるだけの力がないとしたら。考えあぐねる俺の脳裏《のうり》に、姉の手紙の一節が、ふと浮《う》かぶ。——どうせ、やりたいことなんかないんでしょ？

……そうとも。俺は省エネの奉太郎。自分がしなくてもいいことはしないのだ。だったら、他人がしなければいけないことを手伝うのは、少しもおかしくはないんじゃないか？

コーヒーカップを置き、曖昧《あいまい》な気持ちにけりをつけるようにそれを指で弾《はじ》いてみた。厚い陶《とう》器《き》のカップは、くぐもった音を立てた。まだ街を見ていた千反田の注意が俺に向く。俺は、千反田に印象づけるようにゆっくりと言った。

「俺は、お前に対して責任を取れない」

「？」

「だからお前の頼みを引き受けるとは言わない。だが、その話を心に留めておいて、ヒントになるようなことを見掛《みか》けたら必ず報告しよう。その解釈《かいしゃく》に手間取るようならその時も手助けする」

「……はい」

「それだけでよければ、手伝わせてもらう」

すっと千反田が背を伸ばした。そして、四十五度に会釈《えしゃく》する。

「ありがとうございます。ご面倒とは思いますが、よろしくお願いします」

ご面倒、か。

俺は、千反田に見られないようにそっぽを向いて、薄く笑う。自分がいまの頼みを拒絶《きょぜつ》しなかったのは、我ながら驚きだった。そうする気はもちろんないが、この話を里志にしたらやつはなんと言うだろうか。ふとそんなことを思う。里志はきっと目を丸くして、俺の知らないような語彙《ごい》を縦横無尽《じゅうおうむじん》に操《あやつ》って驚愕《きょうがく》を表現するに違いない。ホータローならすげなく断るのが当然じゃないか、と。

その時、俺はやつになんと言って説明するだろうか。

俺は、なにやら二言三言と感謝の言葉を述べる千反田をよそに、そればかりを考えていた。

ココアはもうすっかり冷めているようだったし、俺の二杯目のコーヒーは空になっていた。

五　由緒ある古典部の封印

神山高校は進学校を名乗ってはいるが、進学率もそれを上げるための努力もその名には到底《とうてい》値しない。受験業者に依頼した全国模試が実施されるのは年に一、二回だし、補習もまずは行われない。このご時世に随分のんびりとしたものだ。

ただ、いかに神高でも、定期試験だけはしっかりと訪《おとず》れてくれる。学生生活といえば薔薇色《ばらいろ》であるように、学生の敵といえば試験と相場は決まっている。そして一学期期末試験に伴う部活動禁止命令によって、古典部も活動を停止していた。もともとなにもしていないのだから普段通りにしていてもいいようなものだが、鍵が貸し出されないのでは仕方がなかった。

その定期試験も、今日で終わり。俺は自室のベッドに寝転がり、なんということもなく天井を見つめている。真っ白な天井で、いつもと比べて特に変化はない。

試験といえば、古典部員の学力はなかなか面白い。

まず、福部里志。こいつは無用な知識は無駄に豊富なくせに、こと学業となると全く興味を示さない。今回の期末試験の結果はまだ出ていないのでどうとはいえないが、中間試験のスコアは相当に悪かったようだ。なにせ里志はその頃、「日本人はなぜ草書《そうしょ》（筆記体、と里志は呼んでいた）を日常的に用いなくなったのか」を研究するのに忙しかったのだから。里志にとって重要なのは、里志が重要と思ったことだけだ。それはきっと不遜《ふそん》な態度なのだろうし、長い目で見れば愚かなことだという結論が下るかもしれない。だがそれさえ里志にとっては関心外だろう。それを自由人と呼べば、聞こえが良すぎる。要するにあいつは汎用《はんよう》馬鹿なのだ。

漫研《まんけん》部員でありながら里志を追っかけて古典部にも籍《せき》を置いた伊原摩耶花は、いわゆる努力型ということになるのだろう。摩耶花は、常に自分が間違っていないか検証し続けるので自動的に成績上位になってしまう。ただ、より研鑽《けんさん》を積んで学業を究《きわ》めようという気は全くなさそうだ。要するに伊原は、一般とはまた少し違った意味で神経質なのだ。完璧主義者といえるかもしれない。伊原が見せる寸鉄の鋭さは、その潔癖《けっぺき》さの裏返しとも思える。彼女は疑う。問い詰めてくる。そして、それは自分に対してもそうなのだろうと俺は思う。

そして千反田えるは、トップクラスのスコアを叩き出す。成績上位者の掲示によると、スコアは学年六位。スコアを稼いだだけでなく、実際高校教育の内容は千反田にとっては物足りないものであるらしい。パーツではなくシステムを知りたいんです、千反田は前にそう言ったことがある。それがどういう意味なのかは、俺にははっきりとはわからない。だが漠然《ばくぜん》とだが、その言葉こそがあのお嬢様の好奇心を説明しているような気がする。例の伯父に関する話で言えば、伯父が語ったその言葉を知ることによって千反田は伯父というシステムへの認識を補完したいのだ、と言えるかもしれない。知るとはすべからくそういうことなのだろうが、千反田はそれを意識的にやっている。

俺は、普通だ。

順位を言っておくなら三五〇人中一七五位。なにかのジョークみたいに平均だ。千反田のように好奇心をもって上位になるわけでも、里志のように積極的無関心で下位になるわけでもない。伊原のようにミスが不満で乗り越《こ》えようとも思わない。試験勉強は全くしなかったというほどしなかったわけではなく、したというほどしたわけでもない。俺はたまに、お前は変わったやつだと言われることがあるが、俺に言わせればそう言うのは人を見る目がない証拠だ。上澄《うわずみ》でも澱《おり》でもないところに、俺はいる。上昇も下降も志向したことがない。なるほど、里志はよく言ったものだ。「灰色してるのはホータローだけに思えるね」。

もちろん、それは学力に留《とど》まらない。部活動、スポーツ、趣味、色恋沙汰《いろこいざた》……。要するにそれは人間性の問題だろう。木を見て森を見ずという言葉もあるが、一事が万事とも確かに言う。広辞苑《こうじえん》にもじきに載るだろうが、高校生活といえば薔薇色だ。そして薔薇は、咲く場所を得てこそ薔薇色になるというもの。

俺は適した土壌じゃない。それだけのことだ。

自室のベッドに寝転がってとりとめもなくそんなことを考えていると、階下から物音が聞こえた。郵便受けになにかが落ちる音だ。

郵便受けを確かめに降りた俺は、ぎょっとした。あの、赤と青と白のストライプに縁取《ふちど》られた封筒《ふうとう》は、国際郵便じゃないか。差出人を確かめるまでもない。折木家に国際郵便を出すのは、折木供恵と決まっている。どこからだろう……。イスタンブール？

その場で封を切る。数枚の手紙が入っていて、その内の一枚が俺宛《あ》てだった。

折木　奉太郎殿《どの》

前略
わたしはいまイスタンブールにいます。ちょっと失敗しちゃって日本領事館にこもってるから、街の中はまだ見てないんだけどね。
きっと面白い街だと思うんだけどな。この街でタイムマシーンが手に入ったら、是非《ぜひ》あの日の城門の鍵を掛《か》けにいきたいわ。歴史が変わるかな。わたしは歴史家じゃないから、ｉｆを想像したって悪いことはないよね。
この旅、面白いわ。きっと十年後、この毎日のことを惜しまない。

古典部はどう？　部員は増えた？

あんたひとりでもめげちゃダメ！　男の子は孤独に耐えて強くなるものだから。もし誰か他にいるなら、それはよかったわ。男の子は人間の中で磨《みが》かれるものだから。


それで、ちょっと気になることがあるから書いておくね。

あんた（たち）、文集作る気ある？　古典部は毎年文化祭で文集出してたんだけど、いまも続いてるのかな。

続いてたとしたら、もしかしたら作り方がわかんないかもしれないと思って。古典部の文集は、図書室にはないからね。

探すのは部室。そこに使われてない薬品金庫があって、バックナンバーはその中。鍵は壊れてるから、ナンバーはいらないわね。


プリシュティナに着いたら、一度電話するね。

かしこ

折木　供恵

日本領事館にこもっている？　なにをやったんだ、姉貴。まあ、心配はしていない。詳《くわ》しくは親父《おやじ》宛ての手紙に書いてあるだろう。プリシュティナという街は、どこかで聞いた覚えはあるがはっきりとは思い出せない。姉貴が行くぐらいだから、どうせマイナーな古戦場かなにかだろう。

それにしても、だ。俺は溜息をついた。姉貴はなにか俺の知らない情報網《じょうほうもう》でも持っていて、俺を見張っているのだろうか。それとも、古典部にはバックナンバーに関わる代々の秘密でもあるのだろうか。そう、まさに俺たちはバックナンバーを探して、見つけられなかった。

千反田の私的な課題は先日聞いたが、古典部部長としてのやつの公的な課題は文集作成だ。図書室に文集がないとわかった時千反田は相当参っていたようだったが、姉貴の話が確かなら文集は手に入る。

いよいよ結果を目的にしてそれを目的に結果を作るという目的ができるわけだ。それは面倒事がもう一つ増えることを意味するが、だからといってこの情報を握り潰すのも不人情だろう。相変わらず折木供恵からの手紙は俺の生活を乱してくれる。

とりあえず手紙は、ハンガーにかかっている学生ズボンのポケットに押し込んでおいた。

翌日の放課後、俺は早速部室に向かった。テスト休み明けと久々の晴れが重なって、どの部活も気合が入っている。グラウンドからは各種運動部の掛け声が聞こえてくるし、校内にはブラスバンド部や軽音部や和楽部の連中の音出しが響きあっている。見た目に目立つのは体育会系だが、あの一大イベント、カンヤ祭の主役となるのは多彩な文科系部活だ。放課後には文科系部活の部活棟《とう》となる特別棟には、どこにも人の気配がある。

その特別棟の最上階の角部屋、地学講義室にいたのは、千反田と伊原。こいつらは例の図書室での一件が初対面だったはずだが、ウマが合うとでもいうのだろう、すぐに打ち解けた。今日も窓際《まどぎわ》の椅子を向かい合わせにして、なにやら話し込んでいる。二人とも先だって衣更《ころもが》えになった夏服を着ているのが爽やかだ。半袖《はんそで》からはみ出す腕は、小麦色がかった伊原に対し千反田のそれはあくまで白い。そろそろ陽射《ひざ》しも夏のそれになってきたというのに、お嬢様にはメラニン色素がないのだろうか。なにを話しているのかと耳を傾ける。

「つまり、枚数が適当じゃ駄目ってこと」

「部活の文集でも頼めるものなんでしょうか」

「そこは大丈夫。漫研《まんけん》のほうでコネがあるみたいだし」

「お願いできますか」

文集の話か。頑張るな。

と、千反田が突然、身体《からだ》を強張《こわば》らせ、手で顔を覆《おお》った。

「…………」

なんだ？

「……くちゅっ！」

くしゃみだ。それも極めて控え目な。

「くちゅっ！　くちゅっ！」

「だ、大丈夫？　風邪？　花粉症？」

「……あ、おさまりました。不摂生《ふせっせい》で恥《は》ずかしいんですが、最近夏風邪《なつかぜ》気味で……」

うむ。夏風邪はつらい。そういえば少し鼻声だろうか。

とにかく、声をかける。

「おーい、千反田、伊原」

「あ、折木さん」

「伊原、お前漫研いいのか？」

「うん、一段落ついたから。なに、わたしがいちゃ邪魔？」

なにゆえ？

さて。

俺はまわりくどい前置きなしで、いきなり本題に入ることにした。ポケットから姉貴の手紙を出す。

「俺の姉貴は古典部出身なんだが、手紙で文集の在処《ありか》を教えてくれた」

千反田は、きょとんとした。意味を理解できなかったらしい。

「古典部の文集がどこにあるのか、教えてくれたんだ」

嚙《か》んで含《ふく》めるようにそう繰り返すと、

「そ」

千反田は目を丸くして絶句した。

「それは、本当ですかっ？」

「本当だ。嘘をついても得がないだろ」

断言すると、千反田のその薄いくちびるが、すうっと笑《え》みを形作った。品位ある千反田家の御令嬢《ごれいじょう》は満面の笑みを浮かべるようなことはしないが、喜怒哀楽でいうならまじりっけなしの喜。欲しい欲しいと思ったなにが手に入っても、俺にはこんな顔はできないだろう。喫茶店「パイナップルサンド」で深刻そのものの表情を見せたのと同じ人間とは思えない。

「そうですか、文集が……」

小さな呟《つぶや》きが俺には聞こえた。

「……うふふ、バックナンバー……」

ちょっぴり危ない人、千反田える。

だが、伊原は眉をひそめた。

「本当なの？　なんで手紙でわざわざ……」

もっともな疑問だ。文化祭の資料の在処など、たまの手紙でイスタンブールからわざわざ伝えなければいけないほど重要なこととも思えない。だがそこはそれ、姉貴のことだ。折木供恵がなにを重要と思っているかなど、誰にもわかるまい。

「手紙が来たのは確かだ。内容の真偽までは知らん。見るか?」

手紙を広げ手近なテーブルに置くと、伊原と千反田が寄ってくる。二人が文面を追う間、沈黙が降りた。それを破ったのは千反田の方だった。

「……トルコが好きなんですか?」

「世界が好きなんだ」

「素敵なお姉さんですね」

興味を引かれるような奇異《きい》な部分ではあろうけれど、見るべきはそこではない。

「十年後、この毎日のことを惜しまない、かぁ。なんか、憂鬱《ゆううつ》にさせられるセンテンスね」

それには俺も同意するが、そこでもない。

読み進んだ二人が、前後して声を漏らす。

「……薬品金庫、ですか?」

「薬品金庫ねぇ」

ぐるりと地学講義室を見まわすと、伊原は腰に片手を当てて軽く胸を反らせた。

「ふうん、この部屋にはないみたいね」

「そうだな」

それはわかっていたことだ。しかし千反田はたちまち色を失う。

「えっ！　じゃ、じゃあ文集は、文集は……」

「ちーちゃん、落ち着いて落ち着いて」

ちーちゃんとは誰かと思ったが、俺でなければ千反田に決まっている。ちーちゃん……。あの伊原が、なんとも可愛《かわい》らしい呼び方をするものだ。やつの毒は千反田には向けられないのか？　まあ、千反田相手に言いたい放題するのは確かに難しそうだが。

なだめられている千反田に、俺は姉貴の手紙を振ってみせた。

「千反田、この手紙には『部室の薬品金庫』って書いてあっただけだ。姉貴がここを卒業したのは二年前だからな。その間に部室が変わったんだろうさ」

「ああ……。そういうことですか」

「それで、折木。二年前の部室がどこだったか、わかってるの？」

ぬかりはない。職員室に行く用事があったから、そのついでに訊いてある。

「顧問《こもん》に訊いてきた。生物講義室だとさ」

「珍しく準備がいいじゃない」

「効率を上げただけだ」

「張り切ってるわね」

そんなことはない。俺は一般に張り切らない。

「生物講義室……。一階下ですね。そうとわかれば、早く行きましょう！」

言うが早いか、千反田は先頭に立って教室を出ていってしまう。

張り切るのは、あいつの仕事だ。

生物講義室は、千反田の言う通り地学講義室の真下に当たる。地学講義室は特別棟《とう》四階の角部屋ということで神高の辺境中の辺境になるが、生物講義室も四階が三階になっただけで校舎の隅《すみ》であることには違いない。特別棟は放課後でもほとんどどこにも生徒の気配があると前に書いたが、例外として、他の部活の部室がない地学講義室まわりはひとけのない場所になる。どうやらそれは、生物講義室まわりも同じのようだ。廊下は人の行き来が活発なのに、ここから先には生物講義室と空き教室しかないという線を越えると行くのは俺たちだけになった。

道中、千反田は何度かくしゃみを繰り返した。

「風邪はひどいのか」

「ご心配には及びません。くしゃみが止まらないのと、鼻が息苦しいぐらいで……。くしゅっ！」

まあしかしなんだ。俺なんかは、くしゃみはある程度豪快《ごうかい》でないと気分が悪いものだが、そのあたりはさすがお嬢様か。実に慎《つつし》み深いものだ。

先を行く伊原が、思いついたように振り返る。

「折木、鍵は持ってるの?」

「いや。貸し出し中だった」

「くしゅ!……貸し出し中ですか。じゃあ、どこかの部活が生物講義室を使っているということ、でしょうか」

「間抜《まぬ》けな誰かが借りっぱなしじゃなければ、そうかもしれんな」

「間抜けなんて……。折木さん、口が過ぎますよ」

怒られてしまった。この程度で駄目なら、里志や伊原なんか口も開けないぞ。苦笑して首を振ると、廊下の壁際《かべぎわ》に妙なものが置いてあるのが視界に入ってきた。なんだこれは。千反田と伊原は気づいていないようだが……。それは、小さな箱だった。廊下の壁の塗装《とそう》と同じ白色に塗《ぬ》られていたので、目立たない。見まわすと、廊下の反対側にも同じ物がある。落とし物だろうか? 特別貴重品とも思われないので、構わないことにする。一円以下の価値のものを拾うために身を屈《かが》めても、必要なエネルギー消費は一円を上回ってしまうというのは省エネ者の間の常識だ。

生物講義室の前に立つ。ノックは必要ないと判断したのか、千反田がすぐにドアに手をかける。が、

「……あら?」

開かない。

「開きませんよ」

「開かないみたいね」

二人の視線が俺に集まる。千反田の不安げな視線と、伊原の冷たい視線。そんな眼をされても困るんだが。

「いや、本当に鍵はなかったんだ。それで開かないんなら、俺は知らんぞ」

もう一度、今度は伊原がドアを引く。もちろん今度もがちんという音に阻《はば》まれる。いみじくも、俺の言いたいことを千反田が言ってくれた。

「……またですか」

そうだ、またか。

「ちーちゃん、またって？」

「ええ。四月の話なんですけど……」

俺か千反田か知らないが、神高のドアにはよくよく祟《たた》られているらしい。千反田が四月の話をしている間に俺は、鍵がないなら仕方がない、出直そうかと考えていた。

「……ということなんです」

「へえ、折木がそんなことをね」

俺は踵《きびす》を返そうとして、最後に冗談めかしてドアの内に呼びかけた。

「だーれかいませんかー」

もちろん答えを期待していたわけではない。

だが、意外なことに返事があった。それは言葉ではなく、ロックの開く鈍《にぶ》い音だった。

「ん？」

そして、内側からドアが開かれる。

そこに立っていたのは、学生ズボンに薄手《うすで》のシャツを着た男。すらりと背は高く、割合に格好がいい。タイプはアスリートというよりはインテリゲンチャだろう。男は、俺たちの襟元《えりもと》の学年記章を見てから、愛想《あいそう》よく笑いかけてきた。

「ああ、悪いね。鍵をかけてた。我が壁新聞部《かべしんぶん》に入部希望かな？」

なんだ、いたのならさっさと開けてくれよ。俺は内心そう思ったが、口では違うことを言う。

「ここは、壁新聞部の部室なんですか」

「そうだよ。入部者じゃないのか」

男は教室から出ると後ろ手にドアを閉める。その時俺はふと、消毒用アルコールにも似た匂《にお》いを感じた。どうやらこのインテリゲンチャ、デオドラントに気を使っているらしい。俺が鼻をひくつかせたのが気に入らないのか男は一瞬眉をひそめるが、すぐに愛想を取り戻した。

「じゃあ、なにか用でも」

俺たちは互いに視線を送りあう。そこはやはり部長である千反田が一歩前に出た。

「こんにちは。わたしたちは古典部で、わたしは部長の千反田えるです。三年E組の遠垣内《とおがいと》先輩、ですね」

遠垣内と呼ばれた男は、不思議そうに眉をひそめた。

「どうしておれの名前を？」

もっともな疑問だ。知らない相手に突然名前を呼ばれれば普通は不思議に思うもの。さしずめ、四月の俺の心境か。そして千反田の方も、あの時に俺に見せたような微笑《ほほえ》みを浮かべた。

「去年、万人橋さんのお宅でお姿を見掛《みか》けていたものですから」

「万人橋の家で……。待てよ、千反田といったね。もしかして神田の千反田さん？」

「はい。父がお世話になっています」

……ううむ、プチ社交界の雰囲気《ふんいき》。千反田の家は旧家とはいえ農家と聞いていたから社交性はあまりないのではと思っていたが、この分だとそうでもなさそうだ。全く、自分の生まれ育った境遇《きょうぐう》からだけでは見えない世界というのは、本当にあるらしい。そういえば以前に里志が神山の名家旧家を列挙したことがあったが、その中に遠垣内家も入っていたろうか。

「ああ、いや、こちらこそ。そうか、千反田の」

「はい。……くしゅっ！」

「夏風邪《なつかぜ》か？　よくないね。うん、どうもね」

そして妙なことに、千反田が「豪農《ごうのう》千反田家」の千反田えるだと知ると、遠垣内の態度がおかしくなった。愛想のよさは変わらないが、どこか落ち着かないように視線がふらふらする。千反田を恐れているのか？　俺には想像もできないが、名家間にはそれほど明確な力関係があるのだろうか。遠垣内は、俺の気のせいかもしれないが千反田と目を合わせたくないように、ややうつむき加減にして言った。

「それで、なにか？」

一方の千反田は、遠垣内の様子など意にも介《かい》さず話を進める。

「はい。実は、この生物講義室に古典部の文集のバックナンバーが保管されていると聞いてきたんです。ここは以前、古典部の部室だったそうですね」

「……おれが一年生の頃は、そうだったかな。去年、あちこちの部室が入れ替わってね」

「では、古典部の文集はご存知ですか」

一瞬の間を置いて。それから遠垣内は答えた。

「いや、見ないね」

二人の話を黙って聞いていた伊原が、俺に目配《めくば》せを送ってきた。俺は小さく頷く。人並みのカンがあるやつなら、いまの遠垣内の態度には怪《あや》しいものを感じないはずがない。

「そうですか……」

人並み外れた記憶力と人並み以下のカンを持つ千反田が悄然《しょうぜん》として引き下がりかけるところに、伊原が口を挟《はさ》んだ。

「あの、先輩。部室、ちょっと探させてもらっていいですか」

「君は」

「古典部の伊原摩耶花です。文集は遠垣内先輩には無用のものですから、もしかしたら見落としているのかもしれないでしょう」

俺も、成果の見込みがあるのに無駄足《むだあし》になるのは嫌なので援護する。

「部活の邪魔にならない程度にします。それとも、なにかしていましたか?」

「お願いします」

「俺からも」

俺たちの畳《たた》み掛けに、遠垣内は渋面《じゅうめん》になった。

「あんまり、部外者に入って欲しくはないな……」

その台詞《せりふ》に、伊原がにやりとした。

「先輩、でもここは、部室である前に教室でしょう?」

俺は笑いをかみ殺す。伊原は遠まわしに、あんたに生徒が教室に入るのを拒否する権利はないよと言っているわけだ。遠垣内はなおも迷っているようだったが、伊原がさりげなく一歩前に詰《つ》め寄るとそれで折れたようだった。

「……わかった。いいよ、探せばいい。けど、あんまり引っかきまわさないでくれ」

壁新聞部部長は生物講義室のドアを開いた。

そこは、地学講義室とほとんど同じ作りの部屋だった。あるものも大して変わらない。黒板、椅子に机、掃除道具入れ……。ただ、教室の端《はし》にドアがもう一つあるところが違った。ドアの上のプレートによれば、その向こうは「生物準備室」のようだ。四階の場合、そこには確か物置があって、地学講義室から入ることはできなかったはずだ。

そして、壁新聞部とはいうが他の部員の姿が見当たらない。その点について遠垣内に質《ただ》すと、

「もともと部員は四人だがね、今日は活動なしの日なんだ。おれはカンヤ祭特別号の特集のネタを考えていた」

と返ってきた。カンヤ祭。開催の十月まで、あと二ヶ月半ほどだ。

「壁新聞部って、新聞部とは違うんですか？」

千反田が少々場にそぐわない質問をする。遠垣内はそれには愛想《あいそう》よく答えた。

「神高には三つ新聞があってね。隔月《かくげつ》発行で各教室に配られる『清流』と、不定期に生徒会室前に貼《は》り出される『神高生徒会新聞』。で、もう一つが八月と十二月を除く月刊で昇降口《しょうこうぐち》前に貼られる『神高月報』。うちが作ってるのは、最後の『神高月報』だな」

「後の二つは、どこが作ってるんですか」

「『清流』が新聞部。『神高生徒会新聞』が生徒会。一応、歴史はうちが一番長いね。『神高月報』はもう第四百号も近いけど、あとの二つは百号までもいってない」

四百号、か。連綿と続いているわけだ、壁新聞部の血脈も。思えば、千反田の伯父が三十三年前に古典部員だったのなら、古典部の歴史も最低で三十三年を数えることになる。俺の人生をもう一度反復したとしても、古典部の歴史にさえ及ばない計算になるのか。まあ、だからどうだということはないが。

「この部屋にはないみたいね」

ざっと見てまわった伊原がそう結論づける。物が少ない生物講義室には死角がほとんどなく、それをぬかりのない伊原が見てまわったのだから見落としがあるとも思えない。ならば、準備室だ。俺はそちらに向かいながら訊いた。

「準備室も見せてもらいますね」

「……ああ、いいよ」

背中で遠垣内の声を聞いて、準備室に入る。紙の擦《す》れ合うようなかさかさという音と、モーター音が聞こえてきた。なんだろうか。

準備室の例に漏れず、小さな部屋だった。面積は生物講義室の三分の一もない。

本来なら生物の授業に使う備品を収納する部屋なのだろうが、それらしきものは棚にいくつか収められた顕微鏡《けんびきょう》ぐらいのものだ。よほど神高が座学《ざがく》重視なのでなければ、観察器具や実験器具を収める別の部屋があるとみえる。それらの本来の主に代わってこの部屋にあるのは、壁新聞部のツール一式だった。

素人目《しろうとめ》にも値が張りそうなカメラ、色も太さも様々なペンがささったペン立て、乱雑にコピーが突っ込まれた段ボール箱。小さなスピーカー。そしてなにより目立つのは、狭い部屋の真ん中にどでんと鎮座《ちんざ》する即席のテーブルだった。テーブルと言ったが、それは段ボール箱を重ねた土台に厚めのベニヤ板を載せてあるだけの甚《はなは》だ簡単なものだ。その上には本人しか読めないような略字の書き込みで埋め尽くされたB1用紙が広げられ、重《おも》しのように缶ペンケースが載っていた。かさかさという音は、そのB1用紙が風に煽《あお》られて立てる音だとわかった。

風?

風が吹いている。部屋に一つだけの窓は開いているが、風向きは室内から窓の方に向かっている。その風を作り出しているのは、先刻から唸《うな》っているモーター音の発生源だ。積まれたダンボールの谷間に置かれていてぱっと見ただけではわかりにくいが、即席テーブルを挟《はさ》んで窓の反対側に小さな扇風機が置かれていた。風力は最大になっている。

そして、その風に煽られているものはもう一つあった。窓際《まどぎわ》に、神高男子生徒の夏の制服、カッターシャツが脱いで置かれている。無造作に、放り出したように。

「……?」

「折木、どう?」

振り向くと、準備室の入口に千反田と伊原が立っていた。

ああそうだ。とにかく薬品金庫を探さねば。

といっても、乱雑ではあっても狭い準備室のこと、探すほどのこともない。見た限りでは、金庫に相当するものはどこにもない。薬品金庫といえば、いくら鍵が壊れているような旧式といえどもそれなりのサイズがあるはず。見えているのに見落とすということはないだろう。

ふむ……。

俺は、腕を組んで少し離れたところから俺たちの動向をじっと見ている遠垣内に訊いた。

「去年、なんで部室が入れ替わったか知っていますか」

「いや、知らない。大方、いくつか潰れた部活があったからだろう」

「部室の入れ替わりの時なにか荷物の出し入れはありませんでしたか」

遠垣内は、少し考えるようにしてから言った。

「……そういえば、段ボール箱をいくつか運んだな」

「段ボール箱ですね？」

「ああ」

そうか。ならばやはりそうなのかもしれない。遠垣内家がどういう方面での名家かは俺は忘れてしまったが、そのお家の事情次第《しだい》では俺の考えていることも充分ありそうな話だ。

文集の在処《ありか》は、大体わかったような気がする。だが、そいつを手に入れるとなると、ちょっと難題だ……。そうだな。カマをかけてみるか？　俺は改めて遠垣内に向き直る。

「先輩。どうもこの部屋は物が多くて、探し物には手間がかかりそうです。ご迷惑でなければ、大出先生にも手伝ってもらって徹底的に捜索《そうさく》したいんですが、いいですかね」

至って真面目を装《よそお》ってそう言うと、遠垣内の眉がぴくりと動いた。

「……駄目だ。あんまり引っかきまわさないでくれと言っただろう」

「責任持って全部元どおりにしますから、お願いしますよ」

「駄目だと言っている！」

突然、声を荒《あ》らげだした。

「ああ、ごめんなさい遠垣内先輩。いいんです、ないのなら、仕方がありませんから」

千反田が鼻声で懸命《けんめい》にとりなそうとするが、遠垣内の声はいよいよ高くなる。

「大体、おれは忙しいんだ。明日の編集会議までになにかアイディアをださなきゃいけない。折角なにか浮かびかけたところに入り込んできて、なにが徹底的に捜索だ。ここにお前らの文集はないんだ、わかったら帰れ！」

だが、遠垣内が興奮した態度を取るのとは対照的に、俺は心が冷めていくのを感じていた。

遠垣内は見事に俺のカマかけに引っかかったのだ。

俺は遠垣内を見据《みす》えると、口元だけに友好的な笑《え》みを形作った。

「先輩。俺たちは薬品金庫の中身に興味があるんですよ」

「……なんだと」

「薬品金庫の中に文集があるはずなんですが、先輩がないというなら仕方がないですね。あれさえあれば、先輩の手を煩《わずら》わせることもないんですがね」

そして俺は、自分でも笑ってしまうほどふてぶてしく、付け加える。

「ところで先輩。俺たちはこれから図書室に用があるんですが、俺たちが行った後でもし文集が見つかったら地学講義室に置いておいてくれませんか。鍵は開いてます」

遠垣内は、俺の提案に今度こそ本当の怒《いか》りを覚えたようだ。理知的な顔立ちを歪《ゆが》ませて、俺を睨《にら》みつけてくる。対する俺は、別にどうということもなくそれを受け流す。古今東西、視線で怪我をした人間はいないのだ。

「お前、お前は、おれを……」

「先輩を？」

大した自制力だ。遠垣内は、そこで言葉をぐっと飲みこんだ。

そして、ひとつ息を吐くと、その顔にはさっきの愛想《あいそう》のよさが浮かんでいた。

「わかった、見つかったらそうしておくよ」

「お願いします。……さ、行こうか、千反田、伊原」

多分俺と遠垣内との間の会話が理解できなかったのだろう、ぽかんとしている二人を俺は促《うなが》す。長居は無用だ。

「ちょっと折木」

「折木さん、いまのは」

「話は後だ」

短くそう告げ、俺は二人を引き連れて生物講義室を出ようとする。

後ろから、声がかかった。

「一年生。お前の名前だけは聞いてなかったな」

俺は振り返り、気のない声で答えた。

「折木奉太郎。……悪いとは思ってますよ」

特別棟《とう》と一般棟を結ぶ連絡通路で、俺は適当に廊下の壁にもたれかかる。ついてきている二人にも、このあたりで時間を潰そうと提言した。

「折木。なんだか知らないけど、図書室に行くんじゃなかったの」

俺は手をひらひらさせる。

「行かない。そこまで行く必要はないさ」

「わからないわね。必要がないんなら、先に戻ってるわよ」

「駄目だ。もう少し待った方がいい」

それだけではとても納得いかない様子だったが、伊原は「なにか企《たくら》んでるわね」とだけ呟《つぶや》いて俺の言葉に従ってくれた。入れ替わって、鼻をぐずつかせた千反田が詰《つ》め寄ってくる。

「折木さん。遠垣内先輩、怒ってましたよ」

「そうかな」

「たしかにわたしたちの文集作成にはバックナンバーがあったほうがずっといいですけど、あんなに強引に頼まなくても……」

「そんなに強引だったかな。常識の範囲内での頼みごとだったと思うが」

千反田はなにか言おうとして、言葉に詰まった。それはそうだろう。俺が言ったことといえば、「探し物をさせてくれ」と「見つかったら持ってきてくれ」の二つだけなのだ。

「でも、でも遠垣内先輩は怒っていました」

「怒ってたなあ」

千反田の隣《となり》で、伊原が軽く眉を寄せた。

「けどさ。あの部屋を探させてくれって折木が頼んだ時に怒ったのは、なんだかわざとらしかったわね」

「そうでしたか？」

お。気づいていたか。

こっちはやっぱり気づいていなかったようだが。

廊下にかけられた時計を見る。三分経過か……。もうそろそろいいかな。俺はもたれていた壁から背を離すと、最後に千反田に訊いた。

「千反田。遠垣内家ってのは、どういう方面で有名なんだ」

なぜそんなことを訊くのだろうと言いたそうに千反田は小首をかしげたが、教えてくれた。

「遠垣内ですか。中等教育に影響力のある家ですよ。県教育委員会に一人いて、市のにも一人。あとは校長が一人と現役教師が二人ほどいるはずです」

なるほど、ね。

「で、折木。文集はどうなったの」

俺は答えて言った。

「そろそろ部室に届いてる頃じゃないか？」

その言葉に、千反田と伊原は顔を見合わせる。俺は小さく笑った。


そして地学講義室。

「お、来てるな」

狙い通りだ。教壇《きょうだん》の上に、薄いノート状のものが数十冊、まとめて置いてある。つい、「よし」と声が漏れてしまう。陰謀《いんぼう》もこうまで上手《うま》くいくと、なかなか爽快《そうかい》だ。

「来てるって、まさか」

「……本当に文集だわ……」

教壇に伊原が駆け寄る。ノートの山の一番上を手にとって、茫然《ぼうぜん》と呟く。

「え、え？　わたしにも、わたしにも見せて下さい！」

「どうやったの、折木。あんた、なにを知ってたのよ」

伊原の口調の険《けわ》しさは、ほとんど俺を責めたてるようだ。あんまりはぐらかしても悪い、俺は手近な机に腰《こし》掛《か》けて、言った。

「なに、ちょっと脅迫をしたのさ」

「脅迫？　壁新聞部の部長を？」

「そう。伊原、お前、口は堅《かた》い方か」

そう訊くと、伊原はむっとした表情になった。

「お喋《しゃべ》りじゃないとは思ってるけど」

「頼りないな。遠垣内が一年生の使い走りをしてまで知られたくなかったって秘密だ、守ってやらないと哀れに過ぎる」

「誰にも言わないわよ。……信用できないんなら、話してくれなくてもいいわ」

つっけんどんにそう言う。それは嘘ではないだろう。千反田と違って、伊原は特に好奇心を優先事項に持ってくることはない。俺が話すことで困ったことが起きるなら聞かない、そういう割り切り方はできるやつだ。

ま、一応釘をさしたが、伊原もそして千反田もお喋りではあるまい。

「悪い悪い。それで伊原、お前はおかしいと思わなかったか。なんで遠垣内は部室に鍵をかけていたのか」

伊原は無愛想な顔のままで、

「要するに誰にも邪魔されたくなかったんでしょ、特集記事を練ってるって言ってたじゃない」

「じゃあ、準備室の様子はどうだ。窓を開けて、扇風機をまわしてた」

「暑がりだと思ったけど」

「それなら窓側に扇風機を置けばいい。扇風機は窓の反対側にあった。あの位置だと、重《おも》しがわりの缶ペンケースをうっかり動かせば、テーブルの上のB1用紙が吹き飛ばされかねん」

苛立《いらだ》たしげに伊原は髪をかきあげた。

「だからなによ」

「わからないか？　遠垣内がなにをしたかったか」

「そこまで言われればわかるわよ。換気《かんき》でしょ。空気を入れ換えたかったんじゃないの」

俺は軽く親指を立てて、伊原に賛辞を贈った。もっとも、当の伊原はそうされても面白くもなさそうに視線を逸《そ》らせただけだったが。

「で、なんで空気を入れ換えたか。もっと言おうか。なぜ、教育界の重鎮《じゅうちん》の家に生まれた遠垣内は、部室で一人きりになるに当たって、ドアに鍵をかけ、赤外線センサーを設置し」

「ちょ、ちょっと待って！　なによその赤外線センサーって。スパイ小説でも読みすぎたの？」

ああ。説明してなかったか。

「お前こそ、おもちゃ屋の広告も見てないのか？　赤外線ビームをなにかが遮《さえぎ》ると警報を鳴らすぐらいの仕《し》掛《か》け、いまどき五千円も出せばお釣《つ》りがくるぜ」

「そんなもの、どこに」

「三階の廊下のここから先には壁新聞部の部室しかないって辺りに、白い箱でカモフラージュされて。それだけじゃそうとはわからなかったけどな、他の状況《じょうきょう》証拠《しょうこ》と、準備室にあったスピーカーとを併《あわ》せて考えれば多分あれはその手のものだろう」

伊原は、ぐっと眉根を寄せる。

「やっぱりあんた、ヘン」

「なにを典型的一般人を捕《つか》まえて。……どこまで話したっけ。ああそうか、赤外線センサーを設置して接近者をいち早く察知し、接近者が来るやB1用紙が吹き飛ぶ危険を冒《おか》してまでなぜ部屋の換気を強行したのか。どうだ、伊原」

問われて伊原は考えこんだ。しばらく俺もそのままで待つ。

やがて、普段の毒舌が嘘のようにおとなしい声で、答えが返ってきた。

「……におい……？」

俺は小さく二、三回、拍手をした。

「そうだ、においを消したいってのが妥当な線だろう。そう考えれば、やつが消臭《しょうしゅう》スプレーのアルコール臭をさせていたのも、潔癖性《けっぺきしょう》の故《ゆえ》じゃないって思えるな。で、そこまでして消したいにおいとは？　やばい薬物を使っている様子はなかったな」

「なら、つまり」

「そう。俺は煙草《たばこ》だと思った。……いまどき喫煙程度で念の入った仕掛けだが、遠垣内家が名家ってことを考えれば、御曹司《おんぞうし》が不法行為を見つかるわけにはいかないってことも有りうるかと思ってね。まして、聞けば遠垣内家は高校教育に携《たずさ》わってるんだろう。いまのご時世、医者と教員と警官はあくびをしても叩かれる」

「……なるほどね。そうだとしたら、結構苦労してるのね、あのひとも」

確かにな。俺もそう思う。境遇《きょうぐう》が変われば、問題になることも変わるということか。思えば、千反田が千反田家の娘だと知ったときに遠垣内が見せた動揺《どうよう》も、万が一自分の所業が露見《ろけん》するにしてもそれが名家旧家のゆかりのもの相手ではまずいという意識の現われだったのかもしれない。あるいは、千反田の五感の鋭《するど》さを知っていたのか。もし千反田が風邪をひいておらず嗅覚《きゅうかく》が本調子なら、いくら消臭をしようが換気をしようが、甚《はなは》だしくは上着まで脱ぐ警戒を見せても、きっと事実は看破されていたに違いない。

「まあ、そうまでして学校で煙草を吸いたいって気持ちは俺にはわからんがね。もういいか？」

そう言うと、伊原の目付きが変わった。おお、真骨頂、凍《い》てつく視線だ。

米澤穂信が贈る、<古典部>シリーズが
待望のコミックス化!
月刊少年エース(毎月26日発売)にて好評連載中!!
わたし、気になります!
氷菓
原作:米澤《よねざわ》穂信《ほのぶ》　漫画:タスクオーナ
キャラクター原案:西屋太志(京都アニメーション)
©米澤穂信/角川書店　©米澤穂信・角川書店/神山高校古典部OB会
コミックス1巻4月26日発売!!
B6判/発行:角川書店　発売:角川グループパブリッシング
※お近くの書店に本がない場合は、角川グループ受注センター読者係(tel:049-259-1100)までお問い合わせ下さい。

「わたしはね。遠垣内先輩がなにをしてたかじゃなくって、どうして文集がここにあるのかって訊いたのよ。折木がその煙草のことで暗に先輩を脅《おど》して文集を持ってこさせたのはわかるけどさ。なんで先輩は文集を隠したの。結局、どこにあったの？」

そうか、忘れていた。俺は端的《たんてき》に言った。

「薬品金庫の中だろ」

「おーれーきー？」

「べ、別にからかってるんじゃないぞ。問題は薬品金庫がどこにあるかってことだったんだ。

……遠垣内は、部室引っ越《こ》しの際に運んだものは段ボール箱だけだと言った。この点に関して遠垣内が嘘を言う理由はないから、そうだったんだろう。なら、薬品金庫はあの部屋にあるってことになる」

「……なかったみたいだけど」

「なかったんじゃない。見当たらなかったんだ。金庫も隠されてた。……いや、文集じゃなく金庫こそが隠されていたんだ」

俺はその意味が伊原に浸透《しんとう》するほどの間を置いてから続けた。

「それが結果的に文集を隠すことになったんだ。なぜ金庫を隠したかったかというと、もちろん煙草がらみだ。あの部屋には、煙草もライターも灰皿もなかった。金庫の中には大方そういうものが入っているんだろうさ。俺が『大出先生と一緒《いっしょ》に』部屋を探させてくれって言ったときの遠垣内の顔を見ただろう？　ま、金庫そのものの場所はどうでもいいが、多分あの簡易テーブルの下だろうな。ダンボールで囲って隠してあるってわけだ」

話し終えて、俺は一つ溜息をついた。

遠垣内には悪いことをしてしまった。不平等な取引を持ち掛《か》けたつもりはないが、隠し事を暴《あば》いたのは間違いのないところ。ひとにはそれぞれ事情があろうというのに、その事情に付け込むとは俺もろくなものではないな。まあ、巡《めぐ》り合わせが悪かったと勘弁《かんべん》してもらおう。

なにかぶちぶちと言っている伊原を横目に、俺は本来ならこの手の話に一番乗って来るはずのやつが静かなことに気がついた。振り返る。

「千反田？」

千反田は、教壇《きょうだん》に置かれた文集を見ていた。それを開くでもなく、一心に表紙を見つめている。その目付きの真剣さに、俺は「パイナップルサンド」での会合を思い出した。この様子では、俺の話などまるで聞こえていなかったに違いない。

「どうした、千反田」

呼びかけても聞こえていないようなので、仕方なく俺は腰を上げ、千反田の肩を叩く。

「なにかあったのか」

「あ、折木さん……。……これを、見て下さい」

手に持った文集を、千反田は俺に差し出した。

それは縦横の寸法はキャンパスノートほどで、厚みは薄いといえた。製本はもちろん中綴《なかと》じだが、ちゃんと印刷業者に頼んだのだろう、仕上がりは立派なものだった。表紙は革張《かわば》りをイメージした茶色に仕上げられ、そしてそこには、鳥獣《ちょうじゅう》戯画《ぎが》のようなデフォルメされた水墨画《すいぼくが》調で、犬と兎《うさぎ》が描かれていた。

数多くの兎が輪になっていて、その輪の中で一匹《ぴき》の犬と兎が噛《か》み合っているのだ。犬の牙《きば》は兎の胴を噛み千切らんばかりで、兎の鋭《するど》い前歯は犬の首筋に深々と突き立っている。デフォルメのおかげで凄惨《せいさん》さがないのが、滑稽《こっけい》であり、また不気味でもあった。狡兎《こうと》死して走狗《そうく》烹《に》らる、という名言があるが、これでは狡兎と走狗相討《あいう》つ、だ。その光景を、二匹を囲んだ兎たちは妙に可愛《かわい》らしい仕草で眺めている……。

その絵の上に文字がある。飾り気もなにもない明朝体《みんちょうたい》で、そこには『氷菓 第二号』と書かれていた。発行は一九六八年。……古い。そして、この題名。

「ひょうか……」

これが、文集の名か？

「変な題名だな」

俺の肩越しに伊原が覗《のぞ》き込んできて、

「そうね。よくわからない名前だわ」

と一言同意する。

カンヤ祭の名を聞いた時にも思ったことだが、ものの名前にはそれなりの意味が込められていて当たり前だ。まして文集のように新たに名付けられたものなら、内容と名称《めいしょう》との関係性は濃《こ》くて然《しか》るべきだろう。が、「古典部の文集」と「氷菓」には、俺はなんの関連も見出《みいだ》せない。古典部が目的不明の謎の部活であるにしても、よくわからない名前とは的を射た評価だろう。

表紙の絵を指で示し、伊原に問うてみる。

「漫研《まんけん》の伊原としてはどうだ、この表紙」

「上手《うま》いわよ。基本的なデッサンとか遠近法とかは完全に無視してるけど、上手いと思う。

……ううん、上手いんじゃない。わたしが好きなのね」

俺はいささか驚いた。伊原が自分の好き嫌いを率直に述べるなど、ほとんどありえないように思っていたからだ。それだけ、この表紙は伊原に印象を与えたということだろうか。だが「好き」の一言で片付けるのは彼女自身が許さないようで、伊原は『氷菓』を俺に返すとぶつぶつと自己解析《かいせき》を始める。

「うん、好き、っていうか。美しいわけじゃないけど……。凄みがあるのね。芸術じゃなくて、メディアだわ……」

一方千反田は、念願のバックナンバーを入手して感激に打ち震えているのかと思えば、そうでもなさそうだ。喜びでも憂《うれ》いでもなく、すっぽりと感情を吸血鬼《きゅうけつき》にでも抜かれたような無表情のまま。

　俺はもう一度訊いた。

「千反田、これがどうかしたのか」

　訊くと、千反田は俺を教室の隅《すみ》に連れていった。

「これです」

「なんだ？」

　オレンジ色の陽《ひ》を正面から浴びて陰《かげ》を帯びたお嬢様は、清楚な面持《おもも》ちのままで、好奇心に目をきらめかせてはいない。秘密を打ち明けるようにささやいた。

「わたしは、これを見つけたんです。そして彼女は、伯父に見せたのは、これです。わたしはこれを持っていって、伯父にこれはなにかと訊いたんです」

　ほう。

「思い出したのか？」

　それには答えぬまま、千反田は俺の持つ『氷菓　第二号』を指差した。

「これには、伯父のことが載っています。なにかがあったんです、三十三年前に、この古典部で。……表紙を開いて下さい」

　言われた通りに、一枚めくる。そこには序文が記されていた。それは、こんな文章だった。

序

今年もまた文化祭がやってきた。

関谷先輩が去ってからもう、一年になる。

この一年で、先輩は英雄から伝説になった。文化祭は今年も五日間盛大に行われる。

しかし、伝説に沸く校舎の片隅で、私は思うのだ。例えば十年後、誰があの静かな闘士《とうし》、優しい英雄のことを憶えているだろうか。最後の日、先輩が命名していったこの『氷菓』は残っているのだろうか。

争いも犠牲も、先輩のあの微笑みさえも、全ては時の彼方に流されていく。

いや、その方がいい。憶えていてはならない。何故ならあれは、英雄譚《えいゆうたん》などでは決してなかったのだから。

全ては主観性を失って、歴史的遠近法の彼方で古典になっていく。

いつの日か、現在の私たちも、未来の誰かの古典になるのだろう。

一九六八年　十月十三日
郡山《こおりやま》　養子《ようこ》

「ここにある去年は、三十三年前になります。ならば、古典部の関谷先輩とは伯父のことでしょう。伯父にはなにかあったんです。そして伯父がわたしに教えてくれた答えは、古典部に関することでした……」

俺は笑った。なぜ千反田が笑わないのか考えもせず。

「よかったじゃないか。もう大丈夫だろう」

その俺の言葉に、千反田の無表情が崩れさっと翳《かげ》りがさした。千反田は、小さくはあったが絞《しぼ》り出すような声で言った。

「でも、思い出せないんです。もうちょっとなのに、もうちょっと！　わたしは、こんなに記憶力が悪かったでしょうか？　あの日、伯父はなにを語ってくれたのでしょう？　三十三年前、伯父になにがあったと？」

「これは……」

くぐもった声の響きは、鼻声なのか涙声なのか。

千反田……。

俺は、言った。

「調べてみろよ」

冷たい声ではなかったと思う。

逆光の夕陽を受ける千反田から受け取った『氷菓 第二号』には、三十三年前の文章。そこに書かれていたのは、文集としては世にも奇妙な名前『氷菓』を名付けた関谷純のことと、忘れられていくことについてだった。

これは好機だ。暗中模索《あんちゅうもさく》の中に落ちてきた光だ。千反田が本当に過去を取り戻せるとしたなら、そのよすがはこれを措《お》いてない、と俺は確信した。

だから、もう一度言った。

「調べてみればいいさ。三十三年前のことを」

「でも」

千反田の眉が曇《くも》る。

「憶えていてはならない、って書いてあります」

その怯《ひる》みを、俺は意外に思った。

「思い出したいんだろう？」

「もちろんです。でも、もし調べたら」

言い淀《よど》んで、

「……もし調べたら、不幸なことになるかもしれません。忘れられた方がいい事実というものは、存在するでしょう？」

「…………」

それは千反田、優しすぎるんじゃないか。

「三十三年も前のことでも？」

「違うんですか？」

俺は首を横に振った。

「違うさ。そこに書いてあるじゃないか。『全ては主観性を失って、歴史的遠近法の彼方で古典になっていく』」

「…………」

「時効ってことさ」

俺は笑いを作る。千反田はつられて笑いはしなかったが、ゆっくりと頷《うなず》いた。

「……はい」

それに。

そう、それに。俺は作り笑顔のまま心中でもほくそえむ。調べるっていったってそう手間はかからない。第二号に「去年のこと」と書いてあるなら、関谷の身に起こったことが創刊号に書いてない道理がない。一瞬で済むことだ。問題の回避と解決で解決の方が易《やす》い場合、どちらを選ぶべきかは言うまでもない。

……と思ったのが甘かった。それまで黙って文集の山を漁《あさ》っていた伊原が、憤然《ふんぜん》とした声で言ったのだ。

「なによこれ。創刊号だけ欠けてるじゃない！」

その言葉の意味するところを把握するために、俺は少々の時間を必要とした。

六　栄光ある古典部の昔日

夏休みに入った七月末。俺はいつもの道を自転車で走り、神高を目指す。徒歩でも二十分の道だ、自転車ならどれだけもかからない。途中の自販機でいつも通り、ブラックの缶コーヒーでブレイク。しばらく川沿いに進み、病院の脇を折れれば正面に神高が見えてくる。そして俺は呆《あき》れ果てた。

夏休みだぞ、仮にも。

グラウンドの随所《ずいしょ》で大道具を組み立てる夏服の集団。聞こえてくる管楽器、エレキギター、尺八。特別棟《とう》ではこの距離からもわかるほど多くの生徒がいる。彼らの目的は言うまでもない、カンヤ祭だ。活気という面でいえば、神高は夏休みになって、ますます活発になった。校舎に群がって蟻《あり》のようにうごめくその様は、こう言っているようだ……。「さあ準備だ、祭りはもうすぐだ！　邪魔な授業がない間に、一気に準備をしてしまおう！」

しばらくそのままエネルギー溢《あふ》れる生徒諸君の姿を眺《なが》めていると、昇降口《しょうこうぐち》から一人小走りに駆けてくるのが見えた。福部里志だ。里志は私服で、半袖《はんそで》に半ズボン、ミニリュックのなんともスポーティーな格好をしている。

「おう」

「ごっめーん、まったー？」

中庭でアカペラの発声練習をしていた連中が、里志のその気味の悪い声にぎょっとして振り向く。俺はよほど自転車を回頭してそこから逃げようかと思ったが、かろうじて思いとどまって、その代わりに走ってきた里志をカウンター気味に蹴りつけた。

「わっ。なんだよホータロー、いきなり物騒《ぶっそう》だな」

「やかましい。お前には羞恥心《しゅうちしん》とか公序良俗《こうじょりょうぞく》の維持《いじ》観念とかはないのか」

里志は肩をすくめる。

あまり、ありそうもない。

「悪いね、手芸部のミーティングが長引いてさ」

「なにしてるんだよお前ら」

「今年のカンヤ祭、手芸部は曼荼羅絨毯《まんだらじゅうたん》を縫《ぬ》うんだ。ちょっと問題が起きたから、その対策会議さ」

それはそれはご苦労さん、だ。お前にしても、例の遠垣内にしても、ここにいる何百という神高生にしても。

「それで、こっちの資料は大丈夫か」

冷やかすように言うと、里志はそれをそのまま撥《は》ね返してきた。

「ホータローこそどうだい。慣れない仕事だろうに、いいネタはあったかい？」

訊いたのは俺だと鼻白《はなじろ》みながら、俺は答える。

「ああ、まあな」

「へえ？　珍しいじゃないか、ホータローのことだから、適当にお茶を濁《にご》してくると思ったよ……。いま自転車取ってくるからさ。ちょっと待ってて」

無礼な里志はそう言い残して、また小走りで駐輪場に向かっていく。

なぜ俺が、貴重なる夏休みに惰眠《だみん》以外のことをしているのか、それもこともあろうに里志と待ち合わせなどしているかといえば、ことは一週間前に遡《さかのぼ》る。『氷菓』を手に入れ、そこに関谷純の影を見つけ、そして全てを記したはずの創刊号がなかったあの日。創刊号がないのでは話が違う、俺はそこまで面倒見切れんぞと主張したが時既《すで》に遅し、俺はルビコン川をとっくに渡っていたことに気づいていなかったのだ。

逸《はや》る千反田の説得が無理だと知った俺は、妥協案《だきょうあん》を提示した。いよいよ本気で過去を探すとなったら、二人だけでは手も頭も足りない。三人寄れば文殊《もんじゅ》の知恵《ちえ》と昔の人も言っている。お前には辛《つら》いことかもしれないが、せめて里志と伊原ぐらいには助力を願わなければ調査の成功は覚束《おぼつか》ないと言ったのだ。

するとと千反田はあっさり頷《うなず》いた。

「そうかもしれませんね」

例の「パイナップルサンド」ではあれほど嫌がっていたくせに、どうしたことかと俺は拍子《ひょうし》抜《ぬ》けした。千反田が応援要請《おうえんようせい》の必要を深く認識してのことなのか、それとも実際の手がかりを前に体裁《ていさい》を気にしなくなったのか、あるいはお嬢様は気まぐれというオチなのか俺は判断できなかったが、とにかくその翌日、古典部緊急総会が召集《しょうしゅう》された。

その席上、千反田は俺にした話をかいつまんで繰《く》り返し、その上で、

「三十三年前、伯父《おじ》になにが起きたのか、わたし気になります」

と表明した。

伊原はそれを受けて、

「この表紙、興味をそそるわ。絵解《えと》きができたら、漫研《まんけん》の原稿《げんこう》にもなりそうね」

と話に乗り、里志も、

「偽《いつわ》りの英雄譚《えいゆうたん》、それを三十三年後の後輩が解く、かあ。ちょうどその時期のことを調べてたんだ」

と諸手《もろて》を挙げて賛成した。俺にはどうせ拒否権はないので発言する気もなかったが、せっかくだからと言ってやった。

「どうせ文集のネタも決まってないんだ。そいつを調べて千反田の話は伏せてネタにすれば楽

「……、いや、一石二鳥……、あ、いや、いい文集になるんじゃないか」

至って前向きでしかも省エネ精神に満ちたその提案は満場一致《まんじょういっち》で採択《さいたく》され、三十三年前の古典部を、神山高校を探《さぐ》るのは全古典部員の最優先課題と相成ったのだった。

里志の自転車は、マウンテンバイク。こうして半ズボンになると、細身で背の低いおおよその印象に似合わず里志の足にはかなり筋肉がついているのがわかる。俺は知っている、知的方面は多彩《たさい》だが、里志の運動方面での趣味は専《もっぱ》らサイクリング一本なのだ。

ちなみに俺の自転車は、いわゆるママチャリ。特筆すべきことはない。

川沿いの道を遡り、市街地に入ってそこを抜ける。家と家の間に田畑が広がるようになったあたりで一旦《いったん》自転車を止めて、夏っぽい陽射《ひざ》しを避け煙草屋《たばこや》の軒下《のきした》に入る。背負ったバッグからタオルを出してひとしきり汗を拭《ふ》いてひとやすみ。

ああ、いい汗をかいたなあ。

などとは俺は思わない。なぜ人間は移動しないと目的を果たせないのだろうかと思うだけだ。我が情報革命未《いま》だ成らず、同志よ俺のために努力せよ、だ。

「里志、まだ遠いのか？」

里志はハンカチをポケットにしまって、答えた。

「うーん、十分かな。もちろんホータローの速度でね」

それから笑い、

「見たら驚くよ。『豪農《ごうのう》』千反田家のお屋敷《やしき》は、神山市全部探してもトップクラスさ」

それは楽しみだ。どれほど掃除が大変か、是非《ぜひ》訊いてみたいところだ。俺はタオルでもう一度汗を拭いてそれをかごに突っ込むと、サドルに跨《また》がった。

走り出すと、すぐに道案内役の里志が先行する。そして何度か交差点を過ぎると、後は直進なのか里志は横に並んできた。しばし並走《へいそう》。いつのまにか道は田の間を縫《ぬ》っている。

ペダルを漕《こ》ぐ足に余裕のありそうな里志は、鼻歌でも歌い出しそうに浮かれている。微笑《ほほえ》みは里志の基本表情だが、今日はそれが一段と爽やかだ。それを見て、俺はふと訊きたくなった。

「里志」

「ん？」

「お前、楽しそうだな」

里志は俺の方を向きもせず、快活に言った。

「そりゃ楽しいさ、サイクリングは趣味にあうんだ。青い空！　白い雲！　どんなに陳腐《ちんぷ》だって、これ以上の表現はありえない空の下を、自分の脚力《きゃくりょく》で突っ走って行く。この快感に比肩《ひけん》しうるのは……」

俺は断固として里志のジョークを遮る《さえぎ》。

「違う、お前の高校生活一般が、だ」

たちまちつまらなさそうにして、里志は答えた。

「ああ……。薔薇色《ばらいろ》の話ね」

よく憶《おぼ》えているな、そんな三ヶ月も前の話を。心なしか里志はスピードを落とし、そしてやはり前を向いたままで、続ける。

「僕はねホータロー。まわりがどうあれ基本属性が薔薇色なんだよ」

「いや、ショッキングピンクだろ、むしろ」

「はは、そいつはいい。その伝でいくなら、ホータローは灰色だね」

「そいつは前にも聞いたぜ」

俺の声は知らず抑揚《よくよう》を欠いたものになったが、里志は飄々《ひょうひょう》として意に介《かい》する様子もない。

「そうだっけ。でも、これは言ったかな。僕は別に、ホータローを貶《おとし》めるつもりで灰色って言ってるんじゃないよ」

「………………」

「例えば僕は基本属性がショッキングピンクだから、誰かが僕を薔薇色に染めようとしてもダメさ。染まってあげない」

その笑顔を俺はからかう。

「そうかな？　意外と染まってないか？」

「それはないね！」

驚くほど強い口調で、里志は言い切った。

「なんだいホータロー、僕が総務委員会や手芸部なんかで八面六臂《はちめんろっぴ》してるからそんなこと言うのかい？　冗談じゃないよ、カンヤ祭の日程表作りを手伝うのも、曼荼羅《まんだら》を縫うのも、全部僕の趣味にあったからだよ。そうでなきゃ、誰が日曜から夏休みから、サイクリングの快感を犠牲《ぎせい》にしてまで学校に来たりするもんか」

「来ないのか？」

「社会的に必要なら技《ぎ》と体《たい》だけは貸し出す用意があるよ。そしてそれは、ホータローもそんなに変わらないだろう？　灰色のホータローは、旗振《はたふ》り人が『総員薔薇色！』って手旗を振っても、薔薇色にはならない」

そこで一息置いて、やや落ち着いた口調で、

「僕が貶める時には、君は無色だって言うよ」

それだけ言って、里志は黙る。俺は日光に全身を焼かれながら、里志の言ったことを反芻《はんすう》し、

「…………」

そして渋面《じゅうめん》を作った。

「俺はお前に好かれたいとは思っていない」

「違いないや」

声を上げて、里志はまた笑った。笑ってから、言った。

「見えてきたよホータロー。あれが千反田邸《てい》だ！」

広大な田圃《たんぼ》の中に建つ千反田家は、なるほどお屋敷と呼ぶに相応《ふさわ》しかった。日本家屋らしい平屋建てが、生垣《いけがき》に囲まれている。水音がするところを見ると庭には池があるらしいが、外からは綺麗《きれい》に刈り込まれた松しか見えない。大きく開かれた門の前には、水打ちがしてあった。

「どうだい、見事なもんだろう！」

里志は我がことのように胸を張るが、あいにく俺は日本家屋に関しても日本庭園に関しても造詣《ぞうけい》がない。よってこの邸宅が相対的にどう見事なのかはわからないが、ただ一つ、風流も華《か》美《び》も狙った感じがしないのはいい、とだけ思った。

屋敷の鑑賞はほどほどにして、腕時計を見た。約束の時間ちょうど……。いや、少し遅《おく》れたか。

「行こうぜ、千反田たちが待ってる」

「ああ、そうだね。……ホータロー」

「なんだ」

「なんか、使用人が出迎えてくれそうじゃないか？」

無視する。門をくぐり飛び石を踏んで、玄関先のベルを鳴らす。

「……はぁい」

しばらく待って内側から戸を引いたのは、千反田える本人。夏風邪《なつかぜ》はもうすっかり治ったようで、いつものよく通る声だ。髪はくくらず流したままで、若草色のワンピースが似合っているといえないこともない。

「お待ちしていました」

使用人が出てこなかったのが不満だったのか、里志が小さく舌打ちしたのが、俺には聞こえた。

石造りの三和土《たたき》で靴を脱ぎ、千反田に先導されて板張りの廊下を進む。

「自転車、どこに置きました？」

「どこに置けばよかった」

「どこでもいいんですが」

ならばなぜ訊くのだろうか？

やがて案内されたのは、二面が障子張りで、障子を開けると風の通る涼《すず》しい部屋だった。天井が高いので、余計に涼しく感じるのだろう。広さは……、十畳《じょう》か。広いな。

「遅かったわね」

伊原は先に来ていた。なにか学校に公的な用事でもあったのだろうか、一人だけ制服だ。焦《こげ》茶色《ちゃいろ》に鈍《にぶ》く光る机には、何枚かの資料が既《すで》に並べられている。伊原のものだろうか。随分《ずいぶん》と気合いの入ったことだ。

「適当なところに座って下さい」

促《うなが》され、俺は伊原の真正面に座る。千反田がホスト席に座ったので、残った上座は里志が占《し》めた。床《とこ》の間を背負うのがこれほど似合わぬ男も珍しい。里志は自分の巾着袋《きんちゃくぶくろ》から何枚かコピーを出している。俺も、ショルダーバッグのジッパーを開けて、俺から多大な労力を吸い取ったコピーを取り出した。伊原は準備万端《ばんたん》の様子でペンを弄《もてあそ》び、千反田は紙束の入った盆《ぼん》を机に載せている。

「さて……」

千反田が言った。

「はじめましょうか、検討会」

全員が、誰にともなく礼をした。

自然と、千反田が司会になった。部長だし、別に異議はない。

「今回の会議の目的を確認しておきます。発端《ほったん》は、わたしの私的な思い出でした。そして、先の『氷菓』の発見で、わたしの思い出が三十三年前に古典部に起きた事件と関係するかもしれないことがわかりました。会議の目的は、この三十三年前の事件とはなんだったのかを推定することです。なお、なんらかの事実が判明したら、それは今年の古典部文集の記事としても取り上げる予定です」

伊原の主たる興味は、事件そのものではなく表紙のデザインのはずだが、不満がありそうな様子はない。奇妙な表紙も事件に基づくと見ているのか、それとも千反田との間で話がついたのだろう。

「この一週間の間、手分けしていろんな資料を当たってきました。それぞれの調査結果を報告し、そこから推定される『三十三年前』像を突き合わせて、より矛盾《むじゅん》の少ない推定を導くのが今日の目的になります」

おや、そうだったろうか。俺が千反田から聞いたのは、資料を持ち寄るという話だけだったように思う。推定までやるとは聞いてない気がするが……。だが、ちらりと表情を窺《うかが》えば里志も伊原も全く動揺《どうよう》がない。となれば、俺が聞き逃《のが》したんだろうか。良くないな。まあ、どうとでも切り抜けることはできるだろうが、腹だけはくくっておこうと思う。

千反田は、会議の予定表のようなものは何一つ持たないまま、一人一人に視線を送りながらすらすらと説明を進めていく。

「手順についてですが、資料の配布と報告、次にそれについての質問、次に報告者の仮説、次に仮説の検討という形にしたいと思います。報告の間は質問などは禁止します。……ごちゃごちゃになっちゃいますからね。では、最初の報告を始めて下さい」

なかなかどうして、上手《うま》い司会だ。意外な才能というところか。

いや、千反田が物事をシステムとして捉えていることは本人も言っていたはずだ。ルール策定が得意でも不思議はない道理か。

「最初の報告を……。あら?」

「ちーちゃん、誰からなの?」

「えーっと。誰からにしたらいいんでしょう」

……そして妙なところでつまずく、と。わかりやすいやつというか、行動までシステム化されているというか。うろたえかける千反田に、俺は一声かけた。

「誰でもいいだろう、千反田、お前からやれ」

普通は司会は発表しないものだろうが、どのみち千反田も報告しないわけはないし、どうせなら千反田の描くスタイルを最初に打ち出してもらった方がなにかと円滑《えんかつ》に決まっている。千反田は頷《うなず》いた。

「ああ、そうですね、そうします。じゃあ……、わたしから時計まわりに報告していきましょうか」

そう言って、盆の中のコピーを配り始める。

一目見れば、それが事の発端になった原資料、古典部文集『氷菓 第二号』の序文であることは知れた。なるほど、原点に忠実に攻めたか。らしいアプローチと言えるかもしれない。一度見た文章だが、俺はそれを改めて読んだ。

序

今年もまた文化祭がやってきた。

関谷先輩が去ってからもう、一年になる。

この一年で、先輩は英雄から伝説になった。文化祭は今年も五日間盛大に行われる。しかし、伝説に沸く校舎の片隅で、私は思うのだ。例えば十年後、誰があの静かな闘士、優しい英雄のことを憶えているだろうか。最後の日、先輩が命名していったこの『氷菓』は残っているのだろうか。

争いも犠牲も、先輩のあの微笑みさえも、全ては時の彼方に流されていく。

いや、その方がいい。憶えていてはならない。何故ならあれは、英雄譚などでは決してなかったのだから。

全ては主観性を失って、歴史的遠近法の彼方で古典になっていく。

いつの日か、現在の私たちも、未来の誰かの古典になるのだろう。

一九六八年　十月十三日
郡山《こおりやま》　養子

一つ咳払《せきばら》いをして、千反田が説明を始める。

「わたしの当たった資料は、『氷菓』そのものです。毎年の『氷菓』の記事がどのような傾向《けいこう》を持っていたのか把握する必要もありましたし、序文で触れられていることなら他でも触れてあるかもしれないと思いましたから。でも、内容の把握はできましたが残念なことに、三十三年前のことに言及《げんきゅう》しているような文章はこの序文だけでした。その分集中して読めたと思えばいいのかもしれませんが、でも創刊号があれば……。とにかく、これから読み取れる事実をまとめたのが、こっちのプリントです」

二枚目の紙が配られる。

一．「先輩」が去ったこと（どこから？）
二．「先輩」は三十三年前の時点で英雄で、三十二年前には伝説だったこと
三．「先輩」は「静かな闘士《とうし》」「優しい英雄」だったこと

四．「先輩」が『氷菓』を命名したこと
五．争いと犠牲があったこと（犠牲＝「先輩」？）

「へえ」

さすがに簡にして要を得ている。俺はつい感嘆《かんたん》の声を漏らしたが、考えてみれば千反田は好奇心の権化《ごんげ》なのと同時に、成績上位者でもあるのだ。要点の把握が不得手では、試験でスコアを稼ぐなどできない話だ。

プリントを全員が軽く一読できるほどの時間待ってから、説明が再開される。

「まず一ですが、『先輩』、つまり伯父は神山高校を中退していまして、最終学歴は中卒でした。この論点はこれでいいでしょう」

関谷純が、神山高校を中退していた。千反田がさらりと口にしたその新事実に、俺は特段驚きを覚えなかった。「関谷先輩が去ってから」と序文にあった時点で、そうじゃないかと予想がついていたからだ。

それにしても、千反田は親戚筋《しんせきすじ》を辿《たど》って伯父の退学の原因を知ることはできないのだろうか。

……いや、できないのだろう。できるのなら、とうにやっているに決まっている。そういえば「パイナップルサンド」で言っていたではないか、関谷家と千反田家は疎遠《そえん》になっていると。

「次に二に関してですが、これは時間の経過によって話が大袈裟《おおげさ》になるという一般的現象を示しているだけだと思います。三は面白いですね。『先輩』が、優しかったり静かだったりするのはともかくとして、『闘士』で『英雄』なのがわかります。これは、なにかと戦ったからでしょう。五とも合致《がっち》しますね。争いがあって、そこで『先輩』は闘士になって、英雄になって、そして犠牲になったんです。四は……、気になりますけど、当座の問題ではありませんね。以上が報告になります。質問はありませんか？」

特に突飛《とっぴ》なところはないと思う。俺から言うことはない。

普段の授業の席では質問を発する者など変人（つまり里志）ぐらいのものだが、顔見知りの少人数の集まりなら腰が引けることもない。現に、すぐに伊原が発言した。

「あのさ、ここの『あれは、英雄譚《えいゆうたん》などでは決してなかった』ってとこをすっぱり無視したのはなんで？」

里志が、それはわかる、とでも言いたげに口元をもごもごさせるのを俺は見た。しかしそこは妙なところで律義《りちぎ》な里志のこと、千反田のターンを乱したりはしない。

一方の千反田は、答えのある質問だったのだろう、即答《そくとう》する。

「そこは、書き手の心象ですから。英雄譚だったかどうかは、見る人によって違います」

「それにさ」

千反田の陳述《ちんじゅつ》終了を待って、里志が補足意見を述べる。

「英雄譚なんていう格好いいものじゃなくて、もっと泥臭《どろくさ》い戦いだったんだよ、っていうだけの意味かもしれないじゃないか。心象だから外す、ってのは上手《うま》いと思うね」

どうやら伊原は納得したようだ。

その他に質問は出なかった。

「じゃあ、わたしの仮説を言いますね」

千反田の口調は自信がありそうでもなく、なさそうでもなく、いつもと全く変わらない。その手元にはメモもなにもない。

「伯父は、なにかと争っています。そして、高校を中退しています。確定はできませんが、争いの結果学校から去ったと考えるのが妥当《だとう》ではないでしょうか。ここでもう一つ、さっきの五つ以外の要素を考えてみました。『もう、一年になる』ってところです。

つまり、伯父が退学したのはカンヤ祭の一年前、やはりカンヤ祭の時期です。ところで、これは神山商業高校に通っている友人から聞いたんですが、去年神商の文化祭で事件があったそうですね」

朗《ほが》らかに、里志が言った。

「文化祭荒らし、だね。売り子が裏で恐喝《きょうかつ》されていて、売上が全部消えたとか」

千反田は頷《うなず》く。

「システムには必ずシステムに対抗する存在が組み込まれていると聞きます。文化祭や体育祭、卒業式など、いわゆる年中行事に特に反発を覚える方がいらっしゃるのは普遍《ふへん》的なことでしょう。そしてもう一つ、神高生徒手帳の二十四ページを見て下さい」

そう言われても誰も生徒手帳を出すことができない。当たり前だ、そんなもの持って歩くやつがいるか。

「……どうしたんです?」

「あいにく手帳は家だ。で、そこになんて書いてあるんだ?」

「……もしかして、みなさんこれって持ち歩かないものなんですか? あ、いえ、ええっとですね。こう書いてあります、『暴力行為は厳禁する』。つまりですね、わたしの仮説はこうです」

声の調子を全く変えずに、千反田は続けた。

「その年のカンヤ祭は、不幸にして文化祭荒らしの方々の標的となりました。伯父は、それに物理的な力でもって対抗したんではないでしょうか。その結果伯父は英雄になりましたが、暴力を振るった責任によって学校を追われたんです。そのことを悲しんだ後輩が残したのが、この文ということは考えられないでしょうか」

……ふうむ……。

俺が口を開いたのは、里志とほとんど同時だった。

「却下《きやつか》、だね」

「悪いな、千反田」

そして伊原はなにか思うところがあるのか、千反田ではなく俺たちの方をただ見ている。

一方、二方向から同時に否定意見が飛んでも、千反田は眉一つ動かさない。その様子から俺は、千反田には自説を守り通す気はないな、と直感した。自らの説が単なる叩き台になることを恥じないという態度は、見上げたものだ。

「駄目ですか。理由を教えて下さい」

静かにそう訊く千反田と真正面から眼が合ったので、俺は肩をすくめて言った。

「システムに対抗とか言っていたが、文化祭荒らしだって実入りがなけりゃ寄ってこないだろう。で、千反田。お前が最初に文集の話をした時、俺がなんて言って反対したか憶《おぼ》えてるか？」

千反田は、少し視線を宙にさまよわせ、

「文集は手間がかかりすぎる、と」

「そんなこと言ったか。他にだ」

「他に、ですか？　ええと……、執筆者が三人だと格好がつかない、と。でも、四人ですよ」

……さすがの記憶力、と言っていいのか？　俺はそんなことを言ったのだろうか。それを憶えていたのが大したことであるのは認める。だが千反田よ、言ったとしてもその時点では部員はまだ三人だったろうが。

「他に」

「……他に手段がある、と。例えば」

やっと得心《とくしん》がいったのか、千反田は胸の前でぱんと手の平を組みあわせた。

「模擬店《もぎてん》ですね。模擬店をやろう、と。そしてわたしは」

「模擬店は伝統的に禁止されている、と言ったな。それは俺も憶えている。そうなら、カンヤ祭じゃ金はほとんど動かないはずだ。荒らす価値があるイベントとは思えんね」

だが、この反駁《はんばく》には承服できないようで、千反田は小首をかしげるお馴染《なじ》みのポーズを取って言った。

「でも、それは可能性の問題でしょう」

「というと？」

「確かにお金が絡《から》まないと動かない方は多いと思いますが、そうでない方も有意なぐらいにはいらっしゃると思います」

ぐう。

……まあ、確かにそれはそうだ。それを言われては、俺の方はもうなにも言えない。

里志が笑った。

「情けないなあホータロー。いくらなんでもそれじゃ千反田さんも納得できないだろう」

「ほう、じゃあお前の説明を聞かせてもらおうか」

「言われるまでもないさ」

そう言うと、里志はわざとらしい咳払《せきばら》いを一つした。

「システムに対抗する存在が普遍《ふへん》的に存在するっていう千反田さんの言い方は面白かったね。きっとそうだろうと思うよ。でも、対抗にも時流ってものがあるだろう。

確かにイベント荒らしってのはよくある話だね。最近は対抗のスタイルは実利主義に走るのが多くって実入りのない荒らしはあんまりないけど、でもないわけじゃない。でもね、それが三十三年前の話だと、不思議も不思議、ほとんど有りえないことになるんだ」

時流。スタイルだって？

こいつはなにを言い出した。狐《きつね》につままれた気分を俺は味わった。伊原も千反田も、きょとんとしている。

「……なんで？」

勿体《もったい》ぶっているのか先を続けない里志を、伊原が促《うなが》した。里志は満足そうに頷《うなず》く。

「うん、三十三年前っていうとわかりにくいけど、一九六〇年代って言えばわかるんじゃないかな」

里志は実に得意そうだ。里志と知識量で張り合うなど浪費極《きわ》まりないことなので俺は普段はそんなことを試みようとも思わないが、どうもここまで上機嫌《じょうきげん》なところを見せられるとついその顔を曇《くも》らせてやりたくなる。だが生憎《あいにく》だ、俺は歴史にも詳《くわ》しくない。

「摩耶花、どうだい、なにか思い出さないかい」

伊原も思い当たるところはないのだろう、全くお手上げというポーズに、軽く両手を挙げてみせる。

「ごめんふくちゃん、わかんないわ」

「そう？　東京、国会議事堂……。まだ駄目？　プラカード、デモ……。う〜ん、駄目か。学生運動だよ」

「へ？」

目が点になった。

なにかの冗談だろうと思ったが、里志はなかなかオチを言わない。仕方なく俺はつっこんだ。

「里志。なにが悲しくて日本現代史の復習なんぞしている。遊ぶなら目の前の問題を片付けてから遊んだらどうだ」

だが里志は至って真面目な表情で、言った。

「だから、目の前の問題を片付けようとしてるんじゃないか。いいかい、千反田さんの仮説に出るようなタイプの暴力行為は、つまり高校生の校内暴力ってのは、一九六〇年代にはまだほとんど見られないんだ。それはそうだよね、喧嘩《けんか》したいなら体制側でも反体制側でも相手には事欠かなかった時期に、それこそなにが悲しくて不満のはけ口を探すような真似《まね》をするのさ。

ブームじゃないんだよ」

「……見てきたようなことを言うな」

「言ったろ、その時期のことを調べてるって」

里志の笑《え》みが、いつもより少し不敵なものに見えた。

ふむ。現代史は放っておくとしても、里志の言わんとするところはわかる。文化祭荒らしなどというのは、三十三年前にはそぐわない概念《がいねん》だ、ということだろう。それが確かかどうか俺には確かめる術《すべ》(というか、気)がないが、里志がジョーク以外で言ったことなら、信頼性がないわけでもない。

「ううん、そうですか……。確かに時代性というのは盲点《もうてん》でしたが……」

千反田本人も、里志の搦《から》め手からの攻撃に随分揺らいでいるようだ。どうやら千反田説は風前の灯火《ともしび》か。

と、積極的な発言を控えていた伊原が、急に千反田に手をあわせた。

「ちーちゃん、ごめん」

「……どうしたんですか、突然《とつぜん》」

「わたしの資料と重ねると、ちーちゃんの説はどうしても成り立たないの。次がわたしの番だから、できるだけネタは取っておこうと思って……」

正直、俺はむっとした。おのれ伊原、無駄な話をさせやがって、と。が、千反田はにこりと笑う。

「いえ、検討を深めるのは無駄にはならないでしょう」

見上げた姿勢だ。

「それじゃあ、わたしの説は一時取り下げにして、伊原さんの報告を聞きましょう。それでいいですね？」

誰からも異議は上がらなかった。やはり千反田をトップバッターにしたのは良かった。千反田が自説をあっさり捨てたことで、次の伊原も仮説の正確性に執着《しゅうちゃく》しないで済むというものだ。慎重派の伊原にはやりやすい空気だろう。

「じゃあ、伊原さん、お願いします」


伊原から配られたコピーには、なんというか、毛色が違うというか世界が違うというか、立つ地平が違うことがはっきりわかる文章が書かれていた。そもそも書体からして違う。タイポグラフィーを気取っているのか、曲線を可能な限り廃した読みづらい文字が紙面を覆《おお》っている。B5用紙にびっしり書かれた文章のうち、五行に傍線《ぼうせん》が引かれている。ここを読めということだろう。

つまり我々は常に大衆的であり、またそれゆえに反官僚主義《はんかんりょうしゅぎ》的な自主性を維持《いじ》しつづけるのである。決して反動勢力の横暴ごときに屈《くっ》しはしない。

昨年の六月斗争を例に引いても、古典部長関谷純君の英雄《えいゆう》的な指導に支えられた我々の果敢《かかん》なる実行主義によって、算を乱し色を失った権力主義者どもの無様《ぶざま》な姿は記憶に新しいところであろう。

「これ、漫研《まんけん》の昔の文集漁《あさ》ってたら出てきた冊子。『団結と祝砲《しゅくほう》 一号』ってタイトルだけど、二号以下は見つからなかったわ。発行は、ちーちゃんのと同じ三十二年前ね。『氷菓』に載ってることなら他の部活の文集にもって思って図書室を調べたんだけど、さすがに三十年も四十年も続いてる部活って滅多《めった》になくって。漫研もまだその頃はなかったみたいだけど、本と本棚の間にこれが落ち込んでたのを偶然見つけたの。……凄いでしょ？」

凄いというのがこの文章の発見なのか、それともこの文章そのものなのか、俺にはわからなかった。団結と祝砲……。これが時代性というものか、なんという怪しげなタイトルだ。それにこの時代がかった文語！　それこそ、古典文学の方がまだ馴染《なじ》みがあるというものだ。

一方、千反田の説が否定されるというのもわかる。単純なことだ。神山高校文化祭は十月に開催《かいさい》されるが、この資料によれば事は六月に起きているのだから。なるほどこれは明らかな否定だ。

伊原は制服の胸ポケットから、大学ノート風のメモ帳を取り出す。

「ちーちゃんみたいにコピーは用意してなくて悪いけど、目をつけたとこを挙げていくね。まず、〝我々〟が反動勢力の弾圧を受けたこと。前の年の六月にトソウがあったこと。関谷純って人が指導をしたこと。その指導で、実行主義ってのをやったこと。そのことで権力主義者が困ったこと。これ以外の部分は、読んでみると面白いけど、どう見ても関係はなさそう」

読み取りに異議はないが、トソウって、なんだ？　脳内辞典で検索《けんさく》するが、該当《がいとう》する単語は検出されない。もともと大して語彙《ごい》数が多いわけでもないが。

俺がトソウトソウと悩んでいる間に、千反田が議事を進行させた。

「報告は以上ですか？」

「うん」

「では、質問ですね」

間髪入れずに俺は訊いた。

「トソウってなんだ？」

これまた間髪入れずに里志が俺に訊いた。

「トソウってなんだい？」

この、こいつ、わかってて言ってやがる。俺は『団結と祝砲』のコピーを持って、その場所を指でみせる。

「これだよ、これ。『斗争』」

里志は、やはりどの部分のことかわかっていたのだろう、俺が掲《かか》げたコピーを見もせずにさらりと言った。

「それはトウソウって読むんだ。闘う、争うの闘争《とうそう》。一斗缶《いっとかん》の斗は略字だよ」

しかし里志は、俺に教えているのではなかった。視線は俺に向いているが、俺の読み違いを指摘するならもっとあげつらうように大袈裟《おおげさ》に言うはずだ。里志は俺をダシにして、伊原に教えているのだと知れた。器用なようで不器用な、里志なりの気遣《きづか》いなのだろう。それを手伝うつもりはなかったが、俺はもう少し粘った。

「俺だって十五年漢字に付き合ってきたが、こんな略字は見たことないぜ」

「当然さ。これもファッションだからね。斗の字はそれこそ三十年ぐらい前、こういう文章がよく書かれていた頃に流行《はや》った略字なんだ。まあ、いまでもたまに見かけるし、やくざ屋さんも使うみたいだけどね」

なるほど、いまで言うなら……、世露死苦《ヨロシク》、とかか。古いか。古いし、微妙に違うか。

そして里志は、ぽつりと呟《つぶや》くように付け加えた。

「……でも、この文集。これは、紛《まが》い物みたいな気がする」

それに伊原が反応した。刺《とげ》のある声で言う。

「紛い物？　どういうこと？」

　その追及に里志は口をへの字にして小さく唸《うな》った。いつでもはったりまがいの自信満々の里志が困った顔を見せるのは、なんとも珍しい。

「いや、この資料が贋物《にせもの》ってわけじゃないよ」

「当たり前じゃない。第一、こんな文集に本物も贋物もあるの？」

「資料そのものがじゃないよ。うぅん、なんて言ったらいいんだろうなあ。つまり、この文を書いた人は、本当の活動家じゃなかった。大学やなんかの華々《はなばな》しい運動を見て、それに憧《あこが》れてこんな文を書いた。そんな気がするんだ。つくりものめいてるよ、これは……」

　俺は訊いた。

「で、それがどうかしたのか」

「いいや、独り言さ。悪かったね千反田さん、進めてくれる？」

　司会者は頷《うなず》いて、一同を見渡した。

「では、他に質問はありませんか」

　とりあえずこれ以上の質問は出なかった。いよいよ発表、伊原の表情に緊張が浮かび、手は忙しくメモ帳を繰《く》る。

「ええと、じゃあ、わたしの仮説ね。まずちーちゃんの説の否定だけど、これはわかるわよね」

全員の沈黙は、同意の証《あかし》だろう。六月と十月では差がありすぎる。

「で。この文を書いた人たちは、実行主義で権力主義者の算を乱させたのよね。そして、その結果として、『氷菓』に書いてあったみたいに古典部の部長が去ることになった、と。

じゃあ、退学しなきゃいけないような『実行』ってなにか……。ここもやっぱりちーちゃんと同じになっちゃうんだけど、やっぱり筆頭は暴力よね。ちょっと前なら窓ガラス割ったりとかもあるかもしれないけど、それ言うとまたふくちゃんになにか言われそうだし。それで、被害者はというと……、権力主義者。で、反動勢力。わたしだって、反動勢力ってのが政府とかそっちの方のことってぐらいは知ってるから、あとは簡単よね。古典部の部長に率いられた人たちは、『反動勢力』……。つまり先生たちを、こう」

伊原は腕を振って、殴《なぐ》る仕草をしてみせた。

「ぽかり、とやっちゃった。実際に殴っちゃったかどうかはわかんないけど、それに相当することをしちゃった。もちろん、ただやりたくてやったわけじゃないでしょうね。この傍線《ぼうせん》を引いた第一段落、ごちゃごちゃ書いてあるけど要するに、ここで言いたいのは自主性ってことでしょ。三十三年前、なんらかの形で彼らの自主性が損なわれるようなことがあって、古典部の部長たちの行為はそれに反発してってことじゃないかな」

ぱたり、と伊原はノートを閉じ、全員を見まわした。

「うぅん……。もどかしいですね」

司会者に徹《てっ》していたはずの千反田が、そう漏らした。俺も頷いて同意する。

「もどかしいって、なにが？」

問われて、千反田は答える。

「伊原さんの説の主旨《しゅし》は、先生方がなにか生徒の不利益になるようなことをして、それに対抗して生徒が暴力行為を働いた、ってことですよね」

伊原は少し考えてから答えた。

「うん、そうかな」

「でも、それだとなんだか、わかることがわかったようでよくわかりません」

お前の言うこともわかったようでよくわからないのだが、全くわからないわけでもない。要するに、説得力が足りないということだろう。俺は千反田に付け加えて言う。

「お前の説は抽象的《ちゅうしょうてき》すぎるのさ。もっとも、これ以上は読み取りようもないけどな」

「確かに、具体的かって言われるとそうじゃないけど……」

そう認めつつも、伊原は全面撤退《てったい》はしなかった。

「で、矛盾《むじゅん》はあった？」

どうやら伊原は千反田よりは自説を守る気があるらしい。

だが、残念ながら、俺は矛盾に気づいている。

「あるね」

俺は居住まいを正した。反駁《はんばく》の緊張感に耐えかねてではない、足が痺《しび》れかけたからだ。

「簡単なことさ。お前は千反田の説を、文化祭が十月で騒動が六月だってことで否定した。だけどな。『氷菓』も『団結と祝砲《しゅくほう》』も信じるなら、騒動は六月、退学は文化祭と同じ時期の十月、だ。千反田説のその部分を否定する要素はないだろう。暴力行為による退学だっていうなら、この四ヶ月のズレは妙だぜ」

執行猶予《しっこうゆうよ》でもあるのなら別だが、と内心で付け加える。

「けどそれは」

即座に反論が返る。伊原も、わかってはいたらしい。

「『氷菓』の方が不正確じゃない。『団結と祝砲』には六月って明記してあるけど、『氷菓』には『もう、一年になる』って書かれてるだけ。事件は六月、退学も六月、文化祭は十月。どうしても無理っていうほどの話じゃないと思うけど」

四ヶ月か。どうかな。どうも、伊原らしからぬ牽強付会《けんきょうふかい》のような気がするが……。

俺が迷っている間に、千反田と里志は判定を下した。

「わたしは、無視できない数字だと思います」

「僕もそう思うね。文化祭を以《もっ》てもう一年、って言ってるんだから、やっぱり退学は十月って考えるべきだよ」

俺は黙って頷《うなず》くことで、二人への消極的な賛意を示すことにした。

三対一。伊原はくちびるを尖《とが》らせる。

「むー。細かい性格してるよね、みんな」

その仕草が伊原に似合わず可愛《かわい》らしかったので、場の緊張がふっと和《やわ》らいだように俺には思えた。里志が小さく伸びをしてから、くだけた調子で言った。

「でも、方向性はいいセンいってると思うよ」

千反田は生真面目《きまじめ》な正座を崩さず、しかし微笑《ほほえ》んで賛成する。

「そうですね。抜本的《ばっぽん》な見直しは必要ないでしょう」

俺もそう思う。なんというか、五里霧中《ごりむちゅう》で霧は晴れないが地図だけは見つけたような、隔靴《かっか》掻痒《そうよう》だが痒《かゆ》いのは足だとわかったような。『氷菓』と『団結と祝砲』の二資料だけから考えられるのは、実際伊原の説程度が限界ではなかろうか。あとは、里志の資料と俺のとで細部を詰《つ》めていけばいいし、そこで致命的矛盾が生じるようならそこでまた考え直せばいい。

そういえば、俺の資料はどんなだっただろう。今日は資料を集めるだけと思い込んでいたので、あまり真面目に読み込んでいないのだ。

「じゃあ、わたしの順番はこれで終わりでいいの？」

伊原が言い、千反田が頷く。

時計まわりに発表していくのなら、次は里志だ。千反田に促《うなが》され、コピーを配りはじめる里志。その動きがふと止まったかと思うと、実に気軽に、やつは言った。

「あ、そうだ、言い忘れてた。僕の資料で摩耶花の説は部分否定されるね」

配られたコピーは、なんと壁新聞《かべしんぶん》『神高月報』だった。そういえば遠垣内は『神高月報』は四百号近いと言っていた。年間平均十号の発行でも歴史は四十年。三十三年前のバックナンバーもあるというわけか。気づかなかった……。コラムの欄が、丸で囲ってある。

資料の内容は、有効な部分は僅《わず》かだったが、その僅かな部分はなるほど明らかに伊原説を部分否定していた。それを「言い忘れる」とは、里志もいい根性《こんじょう》をしている。大方、話の順序を守るためなのだろうが……。ちらりと盗み見た伊原は、愉快《ゆかい》とも不愉快ともつかない複雑な表情をしている。伊原にしてみれば自分が千反田にしたことを里志にやり返された形なわけで、複雑な心境も当然だろう。さては、里志が「言い忘れた」のも、単に先例に倣《なら》っただけなのかもしれない。無論、下らないジョークとして。
▼停学二名厳重注意五名を出した先週の特別棟《とう》での擾乱《じょうらん》は、誇りある神山高校文化部の品位を著《いちじる》しく損《そこ》なうものだ。▼もちろん、盗人にも三分《さんぶ》の理、散々批判を受けている映研もその主張にすじが通っていないわけではない。写真部が百パーセント正しいなどとは、もとより小欄

も考えていない。▼問題は、その解決に拳《こぶし》を用いたことである。話し合いへの努力もろくにせず、思い込みと偏見《へんけん》だけで安易に暴力に訴《うった》えるとはみっともなく情けない。▼特に、仲裁《ちゅうさい》に入った幸村由希子《さちむらゆきこ》さん（新劇部・一年Ｄ組）にまで殴《なぐ》り掛《か》かった映研の三年生諸君には猛省《もうせい》を促したい。幸村さんは、現在でも病院に通う日々を送っている。▼伝説的な一昨年《おととし》の運動では、決して暴力は振るわれなかった。全学があれほど怒《いか》りに燃え立っても、我々は団結を崩すことなく、最後まで非暴力不服従を貫《つらぬ》いたのだ。▼これは我々が誇るべきことであるし、その精神は伝統として受け継がれていくべきだろう。

里志は、涼しい顔で説明を始める。

「僕が調べたのは、壁新聞部が発行してる壁新聞『神高月報』のバックナンバー。図書室の書庫に眠ってるのを見つけたから、放課後の無聊《ぶりょう》を慰《なぐさ》めるついでに読みこんでたんだ。だけど、三十三年前の事件そのものに言及《げんきゅう》した資料はなかったし、間接的に触れてるっていってもこの程度だったね。正直、当てが外れたよ。まあ、バックナンバーっていっても残ってるのは全体の半分ぐらい、その半分もマジックやなんかで落書きされてる保存状態の悪いものだから、それも仕方ないかもしれないけどね。で、要約がこれ」

○事件では暴力は振るわれなかった
○事件は全学に影響するものであった
○事件の最中《さいちゅう》、「我々」は団結した
○事件では非暴力不服従が貫かれた

「最初と最後は対偶《たいぐう》関係ってわけじゃないけど、まあ同じことだろうね。で、事件で暴力が振るわれなかったんだから、摩耶花の説は軌道《きどう》修正。中の二つも、ほとんど同じことかな。『我々』ってのが全学のことを指すのかどうか字義的には疑問の余地があるけど、これはどっちでも関係のないことって言えるかもしれない」

そうか……な？

俺が釈然《しゃくぜん》としないでいると、それを見抜いたように里志は補足を入れた。

「ってのは、全学イコール我々なら、生徒全体が事件に関与したことになって、ノットイコールなら、全学のバックアップの下《もと》に『我々』が事件に関与したことになるから。あんまり、違いはないだろ？」

なるほど、確かに。

「報告は以上。質問があったらどうぞ」

そしてそのまましばしの沈黙。千反田が、念を押すように言う。

「……質問はありませんか？」

そうだな。ふと思いついたことがあったので、俺が手を挙げる。

「里志、この『伝説的な運動』ってのは、俺たちが追ってる事件で間違いないのか？　このコピーからだけじゃ、どうにも怪しいが」

俺としては、単なる確認のつもりだった。が、俺の思惑《おもわく》に反して里志は首を横に振った。

「さあね。これが例の事件のことだっていう証拠はない」

「さあねって、お前」

口調は冷静だが、なんとも投げ遣《や》りな言い草だ。里志の知識は深遠《しんえん》で情報は豊富だが、どうも使い方に無頓着《むとんちゃく》な傾向があるってのは知ってはいたが……。

「それじゃあ、お前の資料は資料にもならんぜ」

「そうかな、やっぱり」

「やっぱり、じゃないだろ」

だがそこに伊原が口を挟《はさ》んだ。

「でもさ。傍証《ぼうしょう》ならあるよ」

「ほう」

「わたしたちが追ってる事件も、それなりに盛り上がった事件だったんだよね。二つの部活で文集に取り上げられてるぐらいだし。その事件と、この『伝説的な運動』が別のものだとしたら、二つ事件があったけどこっちが伝説の運動だよ、って示す記述があってもいいんじゃない？」

　里志がぱんと手を打った。

「そうそう、それを言いたかったんだ。さすが摩耶花だね」

　いやお前はそうは思っていなかった。それはともかく、なるほど、伊原の意見は一理ある。やはり確たる証拠ではないが、もともと確たる証拠など求めてはいないのだから別にいい。矛《む》盾《じゅん》の少ない「推定」をすることが目的だと、千反田も言ったはずだし、なにより俺も証拠証拠と騒《さわ》ぎ立てるような浪費はしたくない。俺は手をひらひらさせて納得の意を示した。

　他に質問は出なかった。

「では、仮説を」

　だが、そう言われて里志は苦笑した。

「うーん、仮説ね」

「どうしたんですか」

「千反田さん、議事を乱すのは悪いと思うけど、仮説は立たないよ。自分で探してきて言うのもなんだけど、たったこれだけのコラム記事じゃあ……。せいぜい、伊原説を修正するぐらいが関の山だね。それに」

俺には、里志の次の台詞《せりふ》がわかった。お前は次にこう言う、データベースは……

「データベースは結論を出せないんだ」


結局里志は仮説を立てられなかった。仕方のないところだろう、もともとやつには期待していなかった。

だが、問題は俺だ。まいったな、こうなると資料を読み込んでこなかったのが悔やまれる。仮説など、立つだろうか。そんな俺の内心の動揺《どうよう》に構わず、議事は進む。

「では、折木さん、お願いします」

俺は頷《うなず》いて、コピーを配る。配りながら、自分ももう一度ざっとそれを眺《なが》めた。事件に意味を持つと思われる部分の分量は里志のものとほとんど変わらない。無味乾燥な事実の羅列《られつ》、それが俺の見つけてきた資料だった。

昭和四十二年度（一九六七）

この年の日本と世界

国民総生産（GNP）が四十五兆円を超《こ》え、資本主義国の第三位になった。四十三年には西ドイツを抜いて第二位になった。

八月、松本深志《まつもとふかし》高校の生徒が西穂高岳《にしほたかだけ》で登山中落雷《らくらい》に遭《あ》い、十一人が死亡した。

この年、早大闘争《とうそう》の大規模ストを機に学生運動は先鋭化《せんえいか》の度を深めていく。

この年の神山高校

○四月、英田《あいだ》助《たすく》校長は「寒村の寺子屋に甘んじてはいけない。優秀な人材の育成こそが教育の本分である。高等教育を受ける素養を育成するのが今後の中等教育の課題となる」と教育方針の転換をほのめかした。

○六月三十日、放課後に「文化祭を考える会」。

○七月、アメリカ視察（万人橋陽《ようきようゆ》教諭）。

□十月十三〜十七日、文化祭。

□十月三十日、体育祭。

□十一月十五〜十八日、二年生修学旅行。高松・宮島・秋吉台《あきよしだい》を巡るコースで実施。

○十二月二日、交通事故の続発に対し、全校集会で一層の注意が喚起《かんき》される。

○一月十二日、雪の重みで体育倉庫が一部損壊《そんかい》。

□一月二十三・二十四日、一年生スキー研修。

「ホータロー、これってもしかして……」

俺は仏頂面《ぶっちょうづら》のまま応じた。

「そう、『神山高校五十年の歩み』。公的記録にもなにか載ってないかと思ってな。結果は見ての通りだが……」

先に発表した三人の発表の仕方を思い出す。先例に倣《なら》うなら、まずこの資料の要約をするところだが。

……………。

……要約するほどの内容が、ないではないか。

別にいい加減な気持ちで持ってきた資料ではない。だが改めて見てみれば、これ単体ではほとんど意味がないというのも確かだ。

どうするかと悩んでいると、ふと、このまま流してしまえ、という考えが浮かんだ。たかが女子生徒一人の頼みだし、所詮《しょせん》は高校の部活動だ。なにも肩肘《かたひじ》張って、ああだこうだと頭を悩ませることもあるまい。「悪いな、これじゃあどうにもならん」とだけ言えば、あとは千反田や伊原がなんとかするだろう。それが、俺らしいやり方というものだ。

だがそれはあまりにも、あまりにも灰色に過ぎる選択ではなかろうか。

俺は顔を上げると、言った。

「すまん、発表の前にちょっと手洗い借りていいか」

千反田は失笑した。

「ええ、構いませんよ」

緊張したのかい、と里志が冷やかしてくるが、相手にしない。千反田が案内に立ってくれる。

それについていく前に俺は、何気ない素振《そぶ》りでこれまでの資料をポケットに忍ばせた。

案内された無意味なまでに広いトイレで、俺は考えてみた。

四枚のコピー用紙。四つの資料。

そして、これまでのやりとり。

結んで得られる推定は？　三十三年前になにがあった？

俺は考え……。

そして、一つの結論を得た。


「悪いが、考え違いをしていて仮説は用意してこなかった。だから俺の番は終わりということにして、まとめに入らないか」

俺がそう提案すると、里志の笑《え》みに意地の悪いものが混じった。

「ホータロー、なにか思いついたね」

「人の心を読むな。……まあな。一通りの説明はつくだろう」

「わたし」

ぽつり、といった感じで、千反田が漏らす。

「そうなるんじゃないかなって思っていました。もし矛盾《むじゅん》がなくて説得力のある仮説を立てることができるなら、それは折木さんだって」

……………。

い、いやそれはどうだろう。

「聞かせて下さい。折木さんの考え」

「そうだね。ぜひ聞こうじゃないか」

「期待しちゃうわね、これまでの経緯《けいい》からして」

勝手なことを……。プレッシャーを感じるわけではないが、こうも注目されると話しにくいな。さて、それにしてもどこから話したものか。俺はすこし考え、言った。

「そうだな。五W一Hで説明してみるか。いつ、どこで、だれが、なぜ、どのように、なにをした……で、あってたか？」

千反田が頷《うなず》く。

「そうか。じゃあ、まずは『いつ』。三十三年前だって事はわかっている。問題は六月か十月か、だ。『団結と祝砲《しゅくほう》』によれば六月、『氷菓』の記述を厳密に取るなら十月になる。だがここは、両方を信じることにする。つまり事件が六月で、『先輩が去った』のが十月だ」

不満そうに眉をしかめる伊原。ついさっき俺自身がそれは矛盾だと突っ込んだのだから無理もないが、敢《あ》えて無視する。

「次に、『どこで』。これは特に問題ないだろう、神山高校で、だ。で、『だれが』。『団結と祝砲』から、事件の主役は古典部部長、関谷純だとわかる。それにもう少し付け加えよう。『神高月報』から、全校生徒も事件の主役の一端《いったん》だったとわかる」

自分の説明に間違いがないか、資料に時折目を落としながら、続ける。ここまでは特に問題ない。ここからが、本番だ。

「『なぜ』。全生徒が立ち上がったんなら、相手は必然的に教師陣だな。伊原の言葉を借りれば、その理由は『自主性が損《そこ》なわれて』だ。

で、事件の原因は文化祭にある」

そう断定すると、全員の顔に一斉に疑問符が浮かんだ。心臓に悪い。

「……そんなこと、書いてありましたっけ」

「そりゃあさ、文化祭の時期に退学になったたって記述はあるけど、事件そのものが文化祭に関わるなんて書いてないんじゃない？」

首を横に振る。

「いや。大いに関係があるな。結論から言うと、事件によって六月に教師陣と生徒側とで話し合いが持たれ、十月の文化祭が無事に開催されることになったんだと俺は見てる」

まじまじと『神山高校五十年の歩み』を見てから、里志が異を唱える。

「この『文化祭を考える会』のことかな。でも、どうしてこれが事件によって起きたんだと言えるんだい？　いまは行われてなくっても、三十三年前には毎年恒例《こうれい》の行事だったかもしれないじゃないか」

「それも違うな。折角手に持ってるんだ、『五十年の歩み』、もうちょっと睨《にら》んでみな」

里志だけでなく、千反田も伊原もコピーを睨みはじめる。そして、

「文の頭のマークが、丸と四角がありますね」

「……わかった！　四角が毎年恒例の行事、丸がその年に起きたことでしょ！」

「多分それで間違いないだろう。凡例《はんれい》がついてない不親切な資料だったが、他の年のも見てみるとそれでよさそうだった」

俺は手元のコピーを持ちかえる。『神山高校五十年の歩み』から、『氷菓』に。

「なぜ三十三年前に限って、文化祭を考える会なんてものが開かれたのか？　生徒からの強い要求、事件になるほどの強い要求があったからだ。じゃあ生徒たちはなぜ会を要求したのか？　そのヒントが『氷菓』にある」

その場所に、俺はボールペンで下線をつけた。

「ここだ。『この一年で、先輩は英雄から伝説になった。文化祭は今年も五日間盛大に行われる』。ちょっとおかしくないか？」

しばらく待つが誰も指摘しないので、俺は先を続ける。

「文化祭が行われることは最初からわかってる。なにも、付け加えて書く必要のない情報だろう。なら、この文の主眼は『行われる』じゃなく、『五日間』の方にあると俺は思うね」

「……なにが言いたいのか、よくわかんないんだけど。全部が全部折木の言う通りだとは思わないけど、もしそうだとしたらどうなるの？」

「五日間行われるのが、英雄の挙げた戦果だってことさ。もう一度『五十年の歩み』に戻ると、四月の欄《らん》に校長の発言が載ってる。これは、素直に読めば学力重視宣言だ。これは推定だと思って聞いて欲しい。

うちの文化祭は平日開催で、しかも五日間だ。これは他の高校に比べれば随分《ずいぶん》長い。そして、この文化祭はうちの学校の部活動の象徴《しょうちょう》だ。もし、校長が生徒活動より学力を重視することを生徒にアピールしようとするなら……、象徴的に、文化祭を縮小するという手はあるだろう。だが、生徒は怒《おこ》った。『全学があれほど怒《いか》りに燃え立った』わけだ。これが事件の原因、『なぜ』になる」

ふと喉《のど》の渇《かわ》きを覚える。麦茶の一杯も頂きたいが……。話にけりをつける方が先か。唾《つば》を飲みこんで、続ける。

「で、『どのように』。『古典部部長関谷純君の英雄的な指導に支えら』れて、『果敢《かかん》なる実行主義』だ。最後、『なにを』。学校のやりかたに生徒たちは怒ったが、『非暴力不服従』の方針を採って暴力は振るわなかった。だが実際、文化祭を考える会は開かれているし、文化祭は五日間だ。圧力はかかっている。狭義《きょうぎ》の暴力はなくても、広義のそれがなかったとは思えない。非暴力的で、多人数で行う抗議運動……。ここから先の断定はできんな。里志の方が詳《くわ》しいだろう。俺が思いつくのは、ハンガーストライキ、デモ行進、サボタージュ。そんなもんかな。学校側はその圧力に負けて生徒側と話し合いの席を持ち、文化祭縮小を断念した。だが、その代《だい》償《しょう》として『英雄』関谷純を退学にしたんじゃないか」

そして、最後に付け加える。

「で、なんで事件と退学の時期がずれてるか。関谷純は、六月の時点じゃ運動の中心人物だった。こいつを辞《や》めさせたら、騒動はますます大きくなる。だから、退学は後になったんじゃないか。熱狂《ねっきょう》が収まる頃、つまり文化祭のあとに、だ」

説明を終えて、俺は小さく溜息をついた。ふと、夏の熱気が戻ってきた気がした。

大体、これで説明はつくだろう。

気のない拍手が起こった。里志が手を叩いている。

「いや、なかなかお見事だったよホータロー。うん、なるほど、だ」

伊原は無言で資料を片付けはじめる。なんとなく怒っているように見えるが、それはいつものことといえばいつものことだ。

そして千反田はといえば。

お嬢様は、サーカスを見た無邪気な子どもにも似た興奮で、早口にまくしたてた。

「すごい！　すごいですよ折木さん。たったこれだけの資料から、そこまで読み解いてしまうなんて……。やっぱり、最初に折木さんにお願いしたのは正解でした！」

俺とて褒《ほ》められれば嬉しい。照れ笑いが浮かぶのが自分でもわかる。

どうやら千反田の問題は片付き、文集も目処《めど》が立ったようだな。四月末に千反田と出会ってから次々と起こった厄介事も、これで一段落というところか。

一応、司会として千反田が議事を進める。

「みなさん、質問はありますか？」

質問は出なかった。千反田は大いに頷《うなず》いて、締めに入る。

「では、いまの折木さんの説を軸に、今年度の文集を作っていくことにしましょう。詳しい内容は、また後日ですね。それでは解散です。……お疲れさまでした」

一同、なんとなく礼。

帰る俺を、千反田が玄関まで送ってくれた。千反田は笑顔で、今日の成果に満足しているのがよくわかった。

「本当にありがとうございました」

深々と頭を下げてくる。

「俺だけでやったことじゃないさ」

それだけ言って、靴を履《は》く。一足先に出た里志が、早く来いと急《せ》かしている。俺はあまり道を憶えるのが得意ではない。帰りも里志に案内してもらわねばならないのは残念だ。

「じゃ、また学校ででも」

「はい。では……」

軽く手を振って、俺は千反田家を辞した。


俺はもう帰っていたので、当然その後千反田がどうしたかは知らない。

俺が行ってしまった後で、玄関先《げんかんさき》に立つ千反田がはっとした表情を浮かべたことも、それから彼女がぽつりと呟《つぶや》いたこともその時は知らなかったのだ。

千反田の言葉は、こうだったという。

「でも……。だったらわたしは、どうして泣いたのでしょうか？」

七　歴史ある古典部の真実

舌戦《ぜっせん》終わり日が暮れて。夏の田園に橙色《だいだいいろ》が広がる中、ペダルを漫然《まんぜん》と漕《こ》ぎながら、里志は聞き取りにくい小声で言った。

「正直言って驚いたよホータロー。たしかにホータローの言ったことそのものにも驚いた。ホータローの言う通りなら、僕たちのカンヤ祭は、少なくとも一人の高校生活を代償に成り立ってるってことにね。だけどそれよりも僕は、ホータローが読み解きをしようとしたこと自体に驚いたよ」

「俺の能力を疑ってたのか？」

冗談めかして言い返すが、里志は珍しくにこりともしなかった。

「神高入学以来、ホータローはいくつか謎解きをしてきたよね。初めて千反田さんに会った時も、あの愛なき愛読書の時もホータローが考えたし、聞けば壁新聞部《かべしんぶん》の部長からも一本取ったっていうじゃないか」

「たまたまさ」

「結果はどうでもいいんだ。問題は、灰色のホータローが謎解きなんていう面倒なことをやったこと。なんでそうしたか、理由はわかってる。千反田さんのためだろ」

俺は首をひねり、果たしてそうであったかを思い出そうとする。

千反田のため、と言うと語弊《ごへい》があるが、千反田のせいだというなら納得いく面がある。いみじくも以前里志が言ったことがある。俺は他人に使われなければ動かないと。直接的な形ではないが、俺が千反田に使われてあれらの面倒事を片付けたのは確かだ。だが、

「だけど、今日は違った」

そうだ。今日は違った。

「引くこともできたはずなんだ、ホータローは。今日、謎を解く責任は僕らの間で四等分されていた。ホータローが俺にはわからないって逃げても、誰もなにも言わなかっただろうに、なんでトイレにこもってまで解答を見つけようとしたんだ」

日が暮れかけている。吹く風を涼しく感じた。俺は里志から視線を外し、前だけを見た。

「千反田さんのためだったのかい？」

里志の疑問ももっともだ。常であれば、俺はあれを解こうなどと思わなかっただろう。今日の俺は、随分《ずいぶん》と、アクティブだった。

そう……、なんといえばいいのだろう。

なぜ自分がそうだったのか、俺は自分では大体わかっている。それは千反田とはほとんど関

係がない。だが、自分でわかっているのと他人にわからせるのとでは話が別だ。自分の認識を、概念《がいねん》ベースから言語ベースにまで精練《せいれん》しないと伝達はできない。たとえそれが、テレパス里志相手であっても。

いや、長年友人だった里志相手だからこそ、説明は難しい。なぜなら今日の俺の行動やその動機は、これまでの俺の規範《きはん》から逸脱《いつだつ》するものだから。

無論、説明する義理などないといえる。俺がどうしようと里志、お前には無関係だろう、と。だが俺は里志に答えたいと思ったし、自分でも自分を整理したいと思った。しばらくの無言の後、俺は言葉を選びながら話し出した。

「……いい加減、灰色にも飽《あ》きたからな」

「？」

「千反田ときたら、エネルギー効率が悪いことこの上ない。部長として文集作りを準備し、学生として試験で稼ぎ、人間として思い出を追う。よく疲れないもんだ。お前もそうだぜ、伊原もだ。無駄の多いやり方してるよ、お前らは」

「ま……、そうかもね」

「でもな、隣《となり》の芝生《しばふ》は青く見えるもんだぜ」

そこで俺は一旦《いったん》言葉を切った。なにか、もっと上手《うま》い表現があるような気がしたのだ。が、うまく言葉が出てこない。仕方なく、俺は先を続ける。

「お前らを見てると、たまに落ち着かなくなる。俺は落ち着きたい。だがそれでも俺は、なにも面白いと思えない」

「………」

「だからせめて、その、なんだ。推理でもして、一枚噛《か》みたかったのさ。お前らのやり方にな」

　口を閉じると、ペダルを漕ぐ音と風音が聞こえるばかりで里志はなにも言わない。里志は話し出せば立て板に水だが、なにも言わないこともできる男で、俺もやつのそういうところは気に入っている。だが、いまはなにか言って欲しかった。気まぐれに後づけで理由をつけただけで、黙られたくはなかった。

「なにか言えよ」

　笑ってそう促《うなが》すと、それでも里志は微笑《ほほえ》みを見せずにようやく言った。

「ホータローは……」

「ん？」

「ホータローは、薔薇色《ばらいろ》が羨《うらや》ましかったのかい」

　俺はなにも考えずに答えていた。

「かもな」

自室。見上げる天井は白い。

俺は里志に言ったことを反芻《はんすう》する。

俺だって楽しいことは好きだ。バカ話もポップスも悪くはない。古典部で千反田に振りまわされるのも、それはそれでいい暇つぶしだ。

だが、もし、座興や笑い話ですまないなにかに取り憑《つ》かれ、時間も労力も関係なく思うことができたなら……。それはもっと楽しいことなのではないだろうか。それはエネルギー効率を悪化させてでも手にする価値のあることなのではないだろうか。

例えば、千反田が過去を欲《ほっ》したように。

そしてなによりも、俺が描き出した三十三年前の『英雄』関谷純がカンヤ祭を守ったように。

俺の視線はどこに焦点《しょうてん》が合うわけでもなくさまよう。やっぱりこの手のことを考えると、毎度落ち着かなくなるものだ。白い天井を眺《なが》めまわし、寝返りをうって床を見ていると、捨て置かれたままの姉貴の手紙が目に入った。

俺の視線は、その手紙の中の一文にどうしようもなく引きつけられる。

『きっと十年後、この毎日のことを惜しまない』

十年後。所詮《しょせん》ただの人間の俺にしてみれば霞《かす》んでしまうほどの未来だ。俺はその時、二十五歳になっている。二十五歳の俺は十年前をどう振り返っているだろう。なにかをやり抜いたと思うことができるだろうか。関谷純は二十五歳の時、十五の夜を惜しみはしなかっただろうに。

俺は、

唐突に、電話が鳴った。

いや、前触《まえぶ》れのある電話などないのだろうが、心理的に不意をつかれたという意味で唐突だった。意識が急速に現実に引き戻され、焦燥《しょうそう》も一気に後退する。のたりと体を起こし、階下の電話を取りにいく。

「……はい。折木です」

「あれ、奉太郎？」

背筋が緊張した。聞き慣れた声が聞こえてきた。俺の生活スタイルを乱し、よりメタなレベルの厄介事を持ち込んでくる声。それは折木供恵からのコールだった。はるか西アジアを放浪《ほうろう》して、モサドかなにかに追われて日本領事館に匿《かくま》われていた姉貴からの。国際電話だからなのか、回線がこもって聞こえづらいが、間違いない。

俺は取り敢《あ》えず、久々にその声を聞いた感想を率直に伝えた。

「生きてたのか」

「失礼ね。あたしが強盗の一人や二人を相手に殺されると思ってるの？」

やっぱり、そういう目に遭ってたのか。驚きもしない。

大方、通話料金が気になるからなのだろう。姉貴は早口で捲《まく》し立てる。

「昨日、プリシュティナに入ったところ。ユーゴスラヴィアね。資金、健康状態共に問題なし。

計画は順調に消化中。次はサラエヴォに入ったら手紙を書くわ。ゆっくり行くから、二週間後くらいね。以上報告終わり！　で、そっちはどう、なにもなかった？」

姉貴は楽しそうだ。いつも通りに。姉貴はよく怒るし涙もろいしちょっとしたことで大喜びする情緒《じょうちょ》不安定者だが、基本的にはいつだって楽しそうだ。

俺は、受話器のコードを指先でぴんと弾《はじ》いて、言った。

「なにもない。極東戦線異状なし」

「そう、じゃあ……」

姉貴は電話を切ろうとする。切られるなら切られてもいい、そんな曖昧《あいまい》な気持ちで俺は言葉を継いだ。

「文集を作ってる。『氷菓』……」

「……え、なに？」

「関谷純のことを、調べたよ」

姉貴は早口を変えない。

「関谷純？　懐かしい名前ね。へえ、いまでも伝わってるんだ。じゃあ、まだカンヤ祭は禁句なの？」

その言葉の意味を、俺は理解できなかった。

「……なんだって」

「あれも悲劇よね、嫌だったわ」

禁句？　悲劇？　嫌だった？

なんのことだ。姉貴はなにを言っている。

「ちょっと待てよ、関谷純の話だぞ」

「わかってるわよ、『優しい英雄』でしょ。あんたこそ、わかってるの？」

全く要領を得ない会話だった。同じことを話しているのに、通じている気がしない。

それがなぜなのか、俺は直観的に悟った。俺が、間違っているからだ。千反田邸《てい》で披露《ひろう》した俺の分析、あれは間違っているか、もしくは不充分《ふじゆうぶん》だったに違いない。だが、俺は焦《あせ》りはしなかった。姉貴は知っているようだ、三十三年前、神山高校でなにがあったのか。

「姉貴、聞かせてくれ、関谷純のことを」

俺はそれなりにシリアスに言ったつもりだった。

そして、返ってきた答えはシンプルだった。

「そんな暇はなーい！　じゃね！」

がちゃり、つーつー。

俺は受話器を耳から離すと、阿呆《あほう》みたいにそれを見つめた。

「…………」

……っ、この……

「くそ姉貴!」

受話器を叩きつける。電話機が揺らいで落ち、派手な音を立てる。俺の苛立《いらだ》ちは一層倍加される。もちろん、これも姉貴のせいだ。

姉貴の言ったことを、俺はあまり憶えていなかった。会話のペースが速かったし、確認する暇もなかったから。ただ、姉貴が事件に対して否定的だったというイメージだけが鮮烈《せんれつ》に残った。

俺は、自室のベッドに飛び乗ると、バッグを逆さにして古典部員各自が集めた資料をそこにぶちまけた。『氷菓』『団結と祝砲《しゅくほう》』『神高月報』『神山高校五十年の歩み』……。そして、イスタンブールからの姉貴の手紙はまだそこに落ちている。さっきの一文を、俺はもう一度今度は別の気持ちで読み返す。

『きっと十年後、この毎日のことを惜しまない』

十年後、か。三十三年前に部長を務めていた関谷純は、もし生きていたらだいたい五十歳といったところだ。生きていたとしたら彼は、高校時代を惜しまないだろうか。

惜しむはずがない、と思っていた。自らの、そして仲間たちの情熱に殉《じゅん》じて、高校生活を続けるという選択肢《せんたくし》を放棄《ほうき》した『英雄』関谷純は、その果断を悔やんでいるはずもない。千反田邸で彼の決断を推測して以来、どこかでそう思っていた。

だが、本当にそうだろうか？

たかだか文化祭で。学校を追われ、人生の局面を変えられて。高校生活といえば薔薇色《ばらいろ》だ、だが、その高校生活を途中で打ち切ってしまうほどの強烈な薔薇色は、それでも薔薇色と呼べるだろうか。

俺の中の灰色の部分が告げた。そんなはずはない、と。仲間のために殉じて、全てを赦《ゆる》す。そんな英雄がそうそういてたまるものか、という思いが頭をもたげる。その反発を措《お》いておくにしても、姉貴はあれを悲劇と呼んだ。

もう一度検討してみよう。このコピーの束に記されたことの全てを引き出すのだ。

そして、突き止めてやる。三十三年前、関谷純が本当に薔薇色だったのか。


翌日、俺は私服で学校に向かい、そこでいくつかの確認を取ると、千反田と伊原と里志に電話をした。用件は甚《はなは》だ簡単だ。俺は三人にこう伝えた。

「昨日の件で、補足することがある。これで決着になるだろう。地学講義室で待っている」

三人はやってきた。伊原は決着したはずのことを蒸し返す俺に皮肉を言いながら、里志は微笑《ほほえ》みながらも、先例を逸脱《いつだつ》した俺の行為にやはり訝《いぶか》しげな表情を浮かべつつ。そして千反田は、俺の顔を見るが早いか言った。

「折木さん。わたし、この件についてはまだ知らなければいけないことがあるようです」

それは俺もそうだ。頷《うなず》いて俺は、千反田の肩に手を置いた。

「大丈夫。大抵のことは今日、補足できるはずだ。ちょっと待て」

「どういうこと、折木。補足ってなによ」

「補足は、補足だ。不完全だったものを完全に近づけるために行う後づけ作業だ」

そう言っておいて、俺はコピーを一枚取り出す。『氷菓第二号』序文だ。

「不完全って、昨日の折木さんの説がですか？　間違っていたんですか」

「わからん。方向が間違っていたのか、踏み込みが足りなかったのか」

「わからんって、なのにわたしたちを呼び出したの？」

「まあ聞け」

俺は取り出したコピーを、千反田たちの方に向けるわけでもなく自分で眺《なが》めた。

「……もっと、『氷菓』を大事にするべきだった。関谷純の物語は、英雄譚《えいゆうたん》なんかじゃなかった、ってはっきり書いてある」

そこは昨日、里志が片付けた問題だ。案の定里志が嚙《か》み付いてきた。

「それは昨日話した部分じゃないか」

「ああそうだ。だが、ミスリードの可能性もある」

「そんなこと言ってたら……」

「それから、『争いも犠牲も、先輩のあの微笑みさえも』のくだり。この『犠牲』は、『ギセイ』でいいのか。『イケニエ』とも読めるぜ」

伊原が眉を寄せる。

「イケニエは、違う字でしょ。生きるって字で始まる」

生《い》け贄《にえ》、だな。そこは俺が説明するまでもなく、千反田が援護してくれた。

「いえ。ギセイと書いてもイケニエと読めます。本来両者は同じものです」

さすがは成績上位者、話が早い。俺はそれを知るために辞書まで引いたのだが。

そこまで聞いて、溜息まじりに里志が言った。

「……読み方に別解があるのはわかったよ。でも、そんなのは当たり前だ。本当はどう読むのが正解かなんて、それこそ書いた本人じゃないとわかるはずもないだろ？」

もちろんそうだ。昨日の読み方が国語的に間違っているわけではない。本来言語には数学的明確さは備わっていないのだから解が複数なのも当然だ。いま言ったのは、別解の可能性の指摘に過ぎない。

だが、正解を得る方法はある。俺は里志に、我が意を得たりとばかりに頷いた。

「そうとも。本人に訊けばいい」

「……誰だって？」

「この序文を書いた本人さ。郡山養子さん。三十三年前に高校一年生で、現在四十八か九歳」

千反田の目が丸くなった。

「探したんですか、その人を？」

ぶっきらぼうに、俺は首を横に振る。

「探すまでもない。すぐそばにいる」

伊原がはっと顔を上げた。やはり気づいたのは伊原だったか。

「あ！　そうなの！」

「そう」

「そうって？」

「なにがですか」

伊原は俺に視線を流す。俺は軽く頷いて促《うなが》す。

「……司書の糸魚川先生ね。糸魚川養子先生。旧姓《きゅうせい》が郡山なのよ、そうでしょう？」

伊原は図書委員だ。糸魚川教諭《きょうゆ》のフルネームに触れる機会も多い。それだけ早く気づくだろうと思っていた。

「そうだ。例えばイバラサトシって名前を聞いても里志が伊原に婿《むこ》入りしたとは思わないが、サトシの漢字がお里《さと》に志《こころざ》すなら話は別だ。ヨウコと読ませるのに養子と書くなんざ、なかなかない。まして糸魚川教諭は、年の頃も完全に適合する」

腕を組んで一声うなると、伊原が毒づいた。

「やっぱり折木ってヘンだよ、ずっと先生の近くにいたわたしも言われるまで気づかなかったのに、よくそんなこと思いつくね。本当に、ちーちゃんに頭覗《のぞ》いてもらえば？」

前にも言ったが、閃《ひらめ》きばっかりは運が絡《から》むからなあ。それで千反田に解剖《かいぼう》されては、俺もたまらない。

一方、その千反田はだんだん頰《ほお》が赤くなってきている。

「じゃ、じゃあ、糸魚川先生にお話を伺《うかが》えば……」

「三十三年前のことはわかる。なんであれが英雄譚じゃなかったのか、なんであんな表紙なのか、なんで『氷菓』なんて奇妙《きみよう》なタイトルなのか……。そしてお前の伯父のことも、全部教えてくれるだろうさ」

「でも、本当に糸魚川先生がそうだって証拠はあるの？　こんな大勢で押しかけて、別人だったら嫌よ」

ぬかりはないさ。俺は腕時計を見る。おっと、もうこんな時間か。

「実は、もう確認を取った。二年生の頃は部長を務めたとさ。話を聞くアポもとってある。さて、そろそろ時間だ、行こうか、図書室に」

踵《きびす》を返すと、からかうような伊原の声が追いかけてきた。

「張り切ってるのね」

まあな。

夏休みの図書室は、本を傷付ける強い陽射《ひざ》しを避《さ》けるため全てのブラインドが下ろされている。申し訳程度に冷房が効いた室内は、夏休みだというのにカンヤ祭準備の連中や受験を控えた三年生で満員状態だ。お目当ての糸魚川養子教諭はカウンターの内側でなにやら書き付けをしていた。前に見た時にはかけていなかった眼鏡をかけ、やや前傾《ぜんけい》姿勢になってペンを走らせている。随分と小柄《こがら》で、体の線は細い。顔にはいくらか皺《しわ》が刻みつけられていて、高校卒業から三十一年というその年月を感じさせた。

「糸魚川先生」

声をかけて、糸魚川教諭ははじめて俺たちに気づいたようだった。ゆっくり顔を上げて、微笑《ほほえ》む。

「ああ、古典部ね」

それから、混み合う図書室内を見まわし、

「混んでるわね。司書室に行きましょうか」

と俺たちをカウンター裏の司書室に招き入れた。

司書室はこぢんまりとしたまさに司書一人のための職員室で、図書室と同じく冷房はあまり効いていなかった。ブラインドは下りていなかったが糸魚川教諭はさりげなくそれを下ろし、俺たちに来客用ソファーを勧めた。なにか香りが漂《ただよ》っていると思ったら、部屋に一つだけの机の上に花が飾ってある。うっかりすれば気づかないような小さく地味な花で、それでそれが客に見せるためではなく自分で楽しむための花であることがわかった。

勧められたソファーは大きかったが、さすがに四人が座ることはできない。糸魚川教諭は部屋の隅《すみ》からパイプ椅子を出してきて、悪いんだけど、と差し出した。なぜかごく自然にパイプ椅子は俺に割り当てられ、他の三人はソファーに腰を沈めた。糸魚川教諭は自分の回転椅子に座り、机に肘《ひじ》を乗せたままで体だけをこちらに向けた。

「なにか、私に訊きたいことがあるそうね」

穏やかにそう切り出す。それは古典部全員への問いかけだったが、これから始まる会話で古典部の代表になるのは俺であろうことは、当然だ。俺は慣れない立場の気まずさをごまかすために足と腕を組みたい気分になったが、礼儀《れいぎ》を斟酌《しんしゃく》してやめておいた。

「はい。教えて欲しいことがあります。その前にもう一度、こいつらの前で確認したいんですが、糸魚川先生の旧姓は郡山ですね」

首肯《しゅこう》。

「じゃあ、これを書いたのは先生ですね」

ポケットから、例のコピーを出して、渡す。受け取った糸魚川教諭はそれにさっと目を通すと、くすりと笑った。柔和《にゅうわ》な笑みだった。

「ええ、そうよ。でも驚くわね。まだこんなものが残っているなんて」

そうして、微《かす》かに目線を下げたように俺には思えた。

「なにを訊きたいかは大体わかったわ。古典部の子に旧姓を訊かれた時に、もしかしたらと思ったけど……。あなたたち、三十三年前の運動のことを知りたいのね」

ビンゴだ。やはりこの人は知っている。

だが、俺たちが表情に期待を浮かべるのと対照的に、糸魚川教諭《きょうゆ》は小さく溜息をつく。

「でも、なんで今更《いまさら》あんな昔のことを？　もう、忘れられたことだと思っていたわ」

「ええ。この千反田が妙なことを気にする好奇心の猛獣《もうじゅう》でなければ、俺たちも気づかなかったでしょう」

「猛獣？」

「すいません、亡者《もうじゃ》でした」

糸魚川教諭と里志が笑って、伊原がむすりとした。千反田はなにやら小声で抗議してくるが、無視だ。糸魚川教諭は、千反田に微笑みかけた。

「あなたはどうしてあの運動に興味を持ったのかしら？」

俺には、千反田が腿《もも》に乗せた手の平を強く握り締めたのがわかった。緊張しているのだろうか。千反田は短く答えた。

「関谷純が、わたしの伯父だからです」

糸魚川教諭は、あら、と声を漏らした。

「そうなの。関谷純……。懐かしい名前ね。お元気なのかしら」

「わかりません。インドで行方《ゆくえ》不明になりました」

もう一度、あら、という声。糸魚川教諭はほとんど動揺《どうよう》を見せない。人間、五十年も生きると物事に動じなくなれるのだろうか。

「そう。いつかもう一度お会いしたいと思っていたのに」

「わたしも、もう一度だけでいいから会いたいと思っています」

関谷純というのは、もう一度会いたいと思わせる魅力を持ったひとだったのだろうか。そんなひとなら俺も会ってみたかった、と思った。

おそらく万感を込めて、千反田は、ゆっくりと言った。

「糸魚川先生、教えて下さい。三十三年前、なにがあったんですか。伯父の事件は、どうして英雄譚《えいゆうたん》じゃなかったんですか。なんで古典部の文集は『氷菓』っていうんですか。……折木さんの推測は、どこまで正しかったんですか」

「推測？」

糸魚川教諭は俺に訊く。

「なんのことかしら」

里志が口を出した。

「先生。折木は、明確な資料のない中で断片《だんぺん》を繋《つな》ぎ合わせて三十三年前に起きたことを推測したんです。ちょっとこいつの話を聞いてやって下さい」

どうやら、昨日の話を繰り返さねばならなくなったようだ。いや、もとよりそのつもりだったが、当事者にただの推測を話すのはちょっと覚悟がいるな。自分の考えに自信がないわけではないし、もし的外れなことを言っていたとしても間違うのが恐いとも思わないが。俺はくちびるを舐《な》め、昨日と同じように五W一Hの方式で推論を展開した。

「まず、事件の主役ですが……」


「……だから、退学は十月にずれ込んだと考えました。以上です」

一度口に出して話したことだからか、俺は自分でも驚くほど整理をつけて話すことができた。資料を援用《えんよう》しない分、時間もほとんどかかっていない。

俺が話している間、糸魚川教諭はずっと口を閉じたままでいたが、終わるとすぐに伊原に言った。

「伊原さん。あなたたちが見たっていう資料、いま持っている？」

「いえ、わたしは」

「僕が持っています」

里志は巾着袋《きんちゃくぶくろ》から四つ折りのコピーの束を出し、糸魚川教諭に渡す。糸魚川教諭はそれをざっと眺《なが》め、そして顔を上げた。

「これだけで、いまの話を組み立てたっていうの？」

千反田が頷《うなず》く。

「はい。折木さんが」

それは語弊《ごへい》があるな。

「こいつらの推論をかき集めて纏《まと》めただけです」

「どっちにしても」

ふうっ、と糸魚川教諭は息を吐く。コピーを乱雑に机の上に放り出し、足を組んだ。

「あきれたものね」

「見当違いですか？」

伊原の言葉に、首を横に振って、

「見てきたようだわ。折木君の言ったことは、ほとんど事実通りよ。過去の自分たちを見透《みす》かされたみたいで、なんだか不気味ね」

俺はふっと息を吐いた。

安堵《あんど》したのは確かだが、ここまでは予想通りでもある。

「この上、私になにを訊くのかしら。答え合わせをしたいんだったら、及第点《きゅうだいてん》は充分にあげられるわよ」

「さあ、僕にはわかりません。ホータローが、なんだか不充分なところがあるって言うんですけど」

そうだ。不充分だ。

俺は、俺が一番訊きたかったことを訊いた。それは、関谷純は薔薇色《ばらいろ》の高校生活に殉《じゅん》じたのか否《いな》か、という意味を含んだ質問だった。具体的にはこうだ。

「俺が訊きたいのは一つです。関谷純は、望んで全生徒の盾《たて》になったんですか」

ずっと穏やかだった糸魚川教諭《きょうゆ》の表情が、その一言で凍《こお》りついたように、俺には見えた。

「…………」

糸魚川教諭は、じっと俺を見た。

俺は待った。千反田も伊原も里志も、多分それがどういう意味の質問かよくわからないままにだろうが、待ってくれた。

……沈黙は、実際のところ、長くは続かなかった。糸魚川教諭は、やがて呟《つぶや》くように、そしてどこか恨《うら》めし気にこう言ったのだ。

「本当に、見透かされているようね。……それを話すには、やっぱり一通りあの年のことを話した方がいいかしら。随分昔の話だけど、いまでもよく憶えているわ」

そうして、旧姓《きゅうせい》郡山養子は話してくれた。三十三年前の『六月闘争《とうそう》』のことを。

「うちの文化祭はいまでもよそに比べれば活発だけど、昔から見れば随分おとなしくなった方ね。その頃神高文化祭っていえば、みんなの生きる目標みたいなものだったのよ。古きを捨てて新しい時代をっていう日本中にうねってたエネルギーが、神高では文化祭で形になってた、っていうことかしら。

もっとも私が入学するちょっと前には、それはほとんど暴動みたいになっていたわね。お祭り騒ぎが過ぎて、歯止めが利かなくなってたんでしょう。それでも後々の校内暴力の時代に比べたらまだ秩序《ちつじょ》があったとは思うけど、当時の先生方にしてみたらやっぱり目に余ったらしいわ」

その頃、と述懐《じゅつかい》されるのは、俺から見れば日本現代史の範疇《はんちゅう》の話。日本中にエネルギーがうねっていた時代なんて俺には、そして俺と同じ時代に生きるやつらにもおそらくは、想像するのも難しいことだ。

「その年の四月、時の校長先生が職員会議で発破をかけたらしいの。そうそう、ここに載ってるわね。『寒村の寺子屋に甘んじてはいけない』。いま思えば英田校長はその後の社会を見越《みこ》していたのかもしれないけど、その時は英田発言は建前で本音は文化祭潰しだってことになってたわ。

文化祭日程が発表になると、大騒ぎになったわね。これまでの五日間から三日減って二日間になり、平日開催が週末開催に変えられてたんだから。本当のところ、捨てるべきところを捨てれば二日間でも日程はまわっていくはずだったんだけど、要するにお祭りに水を差されたのが気に食わなかったのよね。

あの発表以来、学校中がぴりぴりして、なにか起きそうだってことはみんな感じてたわ。まずは、汚い言葉で学校をののしる貼り紙だったわね。それから演説会。演説会って言ったってただ台の上に立って言いたい放題言ってただけだけど、みんな熱くなってたからね。それなりに喝采《かっさい》を浴びてたわ。そして、文科系部活の統一意思を表明しようってところまで運動は進んだの。

だけどね。反発を予想しても文化祭縮小を強行したところを見れば、学校側の覚悟も並じゃなかったのね。組織的に反対運動を行うとなれば、処罰も覚悟しなきゃいけなかった。口は達者だったけど、情けないものね。結成された部活連合のリーダーには、誰も立候補しなかったわ」

糸魚川教諭はそこまで話すと、すこし腰を浮かして姿勢を変えた。ぎし、と椅子が軋《きし》みを立てた。

「そこで貧乏《びんぼう》くじを引かされたのが、あなたの伯父さん、関谷純よ。実際の運営は、別のひとがやってたんだけどね。その人は絶対、表には名前を出さなかったわ。

運動はどんどん活発になって、結局縮小計画は潰れたわ。例年通りに開催されたのは、ここにも書いてあるわね」

語り口は淡々として感情は交じらず、俺はそこに三十三年という年月を感じた。運動の熱意も、代表を押《お》しつけあう怯懦《きょうだ》も、最早《もはや》古典なのか。糸魚川教諭は、「だけど私たちは、やりすぎた」と続ける。

「運動の中で、私たちは授業のボイコットを打ってたの。生徒全員がグラウンドに出てシュプレヒコール。運動が一番盛り上がったときには、キャンプファイアーまで作って気勢を上げたものよ。事件は、そんな夜だったわ。

キャンプファイアーが飛び火したのか、誰かがわざとやったのかはわからないけど、格技場で火事が起きたの。ほんのボヤで火は消えたけど、ずいぶん古くなっていた格技場は消防車の水圧で半壊《はんかい》してしまったの」

千反田と伊原の表情が引きつる。俺もそうだったかもしれない。話に聞くだけでも、それはさすがにまずいだろう。間接的とはいえ、学校施設を破壊してただですむわけはない。

「あれだけは、どうやっても正当化できないし、見過ごすわけにもいかない犯罪行為だったわ。幸い事態の拡大を嫌って学校側も警察は介入《かいにゅう》させなかったけど、文化祭が終わるのを待ってそれを問題にした時も誰も反論できなかった。……もっとも、文化祭は終わって、みんな後のことは知らないって感じだったけどね。

そして、火事が起きた実際の原因が不明のまま、見せしめとして処罰の対象になったのが、運動の名目上のリーダー、関谷さんだったの。

その頃、退学処分はいまよりもずっと簡単に出てたものよ。関谷さんは、最後まで穏やかだったわ。でも、自ら進んで盾になったのかって訊いたわね」

俺には、糸魚川教諭が俺に微笑《ほほえ》みかけたように見えた。

「もう、答えはわかったでしょう」

長い話を終えると、糸魚川教諭《きょうゆ》は立ち上がり、ポットの白湯《さゆ》をコーヒーカップに注いで飲んだ。

俺たちは、なにも言わないでいた。言えなかったのかもしれない。千反田のくちびるが僅《わず》かに動いたのが見えた程度だった。それは、『ひどい』か『むごい』か、そんな感じの三文字の言葉だったと思うが、確信は持てない。

「さあ、話は終わりよ。他になにか訊きたいことはあるかしら?」

再び回転椅子に座ると糸魚川教諭は変わらぬ調子でそう言った。やはり糸魚川教諭にとっては、これは過去の話なのだ。

やがて口を開いたのは、伊原だった。

「それじゃあ、あの表紙は、その時のことを絵にしたんですね……」

糸魚川教諭は黙って頷《うなず》いた。

俺は、『氷菓』の表紙を思い出した。犬と兎が相討《あいう》ちになっている絵。その二匹《ひき》を、数多くの兎が遠巻きに眺《なが》めていた。犬は学校側、兎は生徒。犬を道連れにした兎が、関谷純か。教諭の話を聞くうちに思い当たったことがあるので、俺も言った。

「神高の施設の中で格技場だけが飛び抜けて古いのは、格技場がその時再建されたから、ですか」

格技場の古さは、四月に千反田が気にしていたことだ。あの時はどうとも思わなかったが。

「そうよ。公立学校の建物はね、決まった耐用《たいよう》年数が過ぎるまでは建て替えられないの。十年程前に一斉《いっせい》建て替えがあった時、格技場だけはまだ耐用年数を過ぎてなかったのよ」

次いで、里志が神妙《しんみょう》に言う。

「あの、先生。先生はカンヤ祭って言葉を使わないんですね」

なにをピントのずれたことをと思ったが、案に相違《そうい》して糸魚川教諭はうっすらと笑った。

「どうしてか、君はもうわかってるんじゃないかしら」

「はい」

カンヤ祭？

そうか、カンヤ祭。姉貴は、古典部ではこの呼び方は禁句だと電話で言っていた。なぜ禁句なのか、遅ればせながら俺もようやくわかった気がする。

「関谷純は、望んで英雄になったんじゃなかったんですね。だから、先生はカンヤ祭って言わないんですね」

「ふくちゃん、どういうこと？」

里志はいつものように微笑んでいたが、それはなんとも里志らしからぬ、楽しさのかけらもない微笑みだった。

「カンヤ祭のカンヤって字はね、『神山』じゃない。関所の関に谷って書くんだよ。この前、遂《つい》に見つけたんだ。きっと、英雄を称《たた》えて『関谷祭』って渾名《あだな》したんだろうけど、それが欺瞞《ぎまん》だってわかってるんならそう呼んだりはしないよね」

……そして千反田が、訊いた。

「先生。伯父がなぜ『氷菓』と名付けたのか、先生はご存知ですか」

だがその質問には、糸魚川教諭はゆるゆると首を横に振った。

「その名前は、退学を予感した関谷さんが、珍しく無理を通して決めた名前なのよ。自分には、これぐらいしかできないって言ってね。でも、ごめんなさいね。その意味は、わからないの」

……わからない？

本当にわかっていないのか？　糸魚川教諭も、千反田も？　伊原も、里志も？

俺は腹を立てない性分《しょうぶん》だ、疲れるから。だが俺はいま苛立《いらだ》ちを感じた。関谷純のメッセージを、誰も受け取れなかったというのか。この、下らないメッセージを、受け取るべき俺たちが受け取っていない。そこに俺は腹がたった。

気がつくと、俺は誰にともなく言っていた。

「わからないのか？　いまの話をどう聞いていたんだ。はっきりしてるだろうが、意味なんか。下らない駄洒落《だじゃれ》だ」

「ホータロー？」

「関谷純は、俺たちみたいな古典部の末裔《まつえい》にまで自分の思いを伝わるようにしたのさ、文集の名前なんてものに込めてな。千反田、お前英語は得意だろうが」

　突然の指名に、千反田はおろおろとうろたえる。

「え、あの、英語？」

「ああ。こいつは、暗号さ。いや、むしろ言葉遊びか……」

　糸魚川教諭を見ると、特に反応を示していない。もしかしたら、とっくにこの意味に気づいているのかもしれないな、と俺は思った。気づいていて然《しか》るべきだ。なのに俺たちに言わないのはなぜだろう。そこまではわからないが、俺が糸魚川教諭の立場でもあまり公言するようなことではないかな、という気にもなる。それとも、これも古典部の伝統だろうか。

「わかったんですか、折木さん！」

「もう、折木にはあきれるわ。本当にわかったの？」

「ホータロー、教えてよ」

　何度目だろう、こうしてこいつらに詰《つ》め寄られるのは。俺はその度に、溜息をつきながら俺なりの答えを言ってきた。だが、今回ほど自分に最初に閃《ひらめ》きがきてよかったと思ったことはない。関谷純の無念と洒落っ気を、誰に教えられるでもなく理解することができたのだから。

　俺は言った。

「氷菓ってのは、なんのことだ」

千反田が言った。

「古典部の文集の名前です」

「一般名詞で考えてくれ」

里志が言った。

「アイスのことだね。アイスキャンディー」

「アイスクリームで考えてくれ」

伊原が言った。

「アイスクリーム？　それがメッセージなの？」

「音節を切ってくれ」

ああ、もう。なんだって俺の役まわりはいっつもこうなんだ。いい加減、受け答えにも慣れてきてしまったじゃないか。

「アイスクリームじゃあ、意味にならない。だから、言葉遊びだと言ったろう」

そのまま黙っていると、やがて里志の表情がさあっと変化した。青ざめたというと大袈裟《おおげさ》だが、軽く血の気が引いたというところだろう。次いで伊原が、ああ、わかっちゃった、と嫌悪《けんお》を露《あら》わにして呟《つぶや》いた。

後は千反田だが、無理かもしれない。千反田は学業一般が得意で、無論英語も得意だと聞く。

が、この手の応用がてんで利きそうにないのもわかっていることだ。そして俺には、焦《じ》らして遊ぶ趣味はない。

俺は、『氷菓《ひょうか》 第二号』序文のコピーの裏に、持っていたボールペンで走り書きし、

「お前の伯父が残した言葉は、これさ」

うんうん悩《なや》んでいる千反田に渡した。

受け取った千反田の瞳《ひとみ》が、一瞬大きく見開かれた。そして、あ、と呟いたきり無言でそれを見つめ続ける。

皆《みな》の視線が、千反田に集まる。

千反田の瞳に、潤《うる》みがさした。俺はそれで悟った。ここ数ヶ月関わってきた千反田からの依《い》頼《らい》は、果たされたのだということを。

「……思い出しました」

千反田は呟く。

「思い出しました。わたしは伯父に、『ひょうか』とはなんのことかと訊いたんです。そしたら伯父はわたしに、そうです、強くなれと言ったんです。

もしわたしが弱かったら、悲鳴も上げられなくなる日がくるって。そうなったらわたしは生きたまま……」

その目が、俺に向けられた。

「折木さん、思い出しました。わたしは、生きたまま死ぬのが恐くて泣いたんです。……よかった、これでちゃんと伯父を送れます……」

微笑《ほほえ》みが浮かんだ。千反田は、自分の目が濡《ぬ》れているのにいま気づいたように目の端《はし》を手の甲《こう》で拭《ぬぐ》う。その時、持ったままのメモが俺の方に向いた。そこには、俺の下手な筆記体でこう記されていた。

I scream.

八　未来ある古典部の日々

　そして文化祭は目前に迫《せま》った。地学講義室の窓から秋晴れを見上げると、あの夏休みの日々が随分前のことのように思われる。関谷純の無念を辿《たど》り、『氷菓』の真意を知ったあの日から、俺たちの文集作成は実質的に始まった。

　そして、それはまだ終わっていない。

　何ヶ月ぶりかの姉貴への手紙を俺が書いている隣《となり》で、修羅場《しゅらば》は続いていた。

「ふくちゃん、まだなの。印刷屋さんに約束した時間、もう過ぎてるのに！」

　ほとんど悲鳴のように、伊原が叫《さけ》ぶ。里志に割り当てられたページが、まだ完成していないのだ。普段は焦《あせ》りなど絶対に見せない里志も、さすがに少々浮き足立っている。

「もうちょっと、もうちょっとなんだよ。ほんとに」

「一週間も前からそう言ってるじゃないっ」

　文集編纂《へんさん》の総責任者はもちろん部長である千反田ということになっているが、ページ数の配分や印刷所の手配など実際的なことはその道の経験がある伊原が担当した。伊原の情け容赦《ようしゃ》のないスケジュール進行は、『氷菓』作成を実に厳格かつ円滑《えんかつ》に進めてくれた、と言っておこう。伊原自身が書いた原稿《げんこう》は俺はまだ見ていないのだが、古典的名作と呼ばれるある漫画への思い入れを述べたものらしい。確か寺とかミューとかナンバーズとか言っていたと思うが、くじ引きの漫画なのだろうか。

一方、伊原の鞭《むち》入れにも拘《かかわ》らず未だ完成していない里志の原稿は、本人の語るところによるとゼノンのパラドックスに関するジョークだということだ。相当好き放題をやらかしたテーマだが、『氷菓』のバックナンバーを読む限り古典部の文集は「なんでもあり」らしく、里志のテーマは古典的パラドックスという名目で古典に関係しているだけ、まだマシな部類に入るだろう。割り当てられたページ枚数は、里志が手芸部並びに総務委員会でも役割を背負っていることを考慮してかなり少なかったはずだが、里志はそれでも四苦八苦している。どうやら文章を書くのが苦手らしい。これは意外な弱点を見つけたものだ。

微笑みをひきつらせて原稿用紙に向かう里志、伊原はその後ろで歩きまわりながら何度も腕時計を見やる。そのうち、思い出したように伊原は俺に訊いてきた。

「そういえば、ちーちゃんは？　費用のことで相談があったんだったわ」

里志がなにか言おうとするが、伊原のひと睨《にら》みで慌《あわ》てて原稿に戻る。仕方がないので、俺は手紙を書く手を止めて教えた。

「千反田は墓参りだ」

「お墓？」

「関谷純の、な。例の原稿を、早いところ霊前《れいぜん》に供えたいんだそうだ」

例の原稿とは、俺たちが三十三年前の事件をいかに追ったか、それをまとめたものだ。千反田の協力の下《もと》、俺が書いた。俺は不必要な修辞を施《ほどこ》す趣味《しゅみ》はないので、原稿は至って無味乾燥な、散文的なものになったが。

「そ、か」

毒気を抜かれたのか、伊原は呟《つぶや》くように言った。

「ちーちゃん、なにか言ってた？」

「いいや、なにも」

それは嘘ではなかった。千反田は、関谷純の葬儀の日も、俺が原稿を渡した時も、そしてそれを墓前に供えに行く今日でさえ、なんらの感動も見せなかったのだ。あるいは隠していたのかもしれないが、俺はそうではないと思う。あの日、『氷菓』の意味を解き明かした日、千反田の事件は解決していたのだ。あとは、それをどう解釈し、取り込んでいくか。そしてそれは、俺の知ったことではない。

「ふーん……。……ふくちゃん、手が止まってるっ。あと五分でなんとかしてよね！」

「五分！　摩耶花、それはちょっと残酷《ざんこく》ってものじゃ」

再開された寸劇を横目に、俺は考える。もっとも、あの事件は千反田だけの事件ではなかった。伊原にも、里志にもなんらかの謎を投げかけ、そして解決を与えたに違いない。

俺自身はどうだったか?

……手紙を適当なところで切り上げ、俺はショルダーバッグをつかむ。秋の涼しさに、眠気を覚える。崖《がけ》っぷちを行く里志と伊原には悪いが、そろそろ帰るとしよう。

そう思った瞬間。

ドアが開かれたかと思うと、地学講義室に人影《ひとかげ》が飛び込んできた。よほど急いだのだろう、顔も上げられず息も絶え絶えなのは我らが部長、千反田だ。突然のお出ましに、俺も、里志も伊原も言葉を失う。千反田は肩で息を繰り返していたが、やがてきっと顔を上げた。

「あれ、千反田さん。お墓参りだって聞いたけど?」

里志の言葉に、こくりと頷《うなず》く。

「ええ。でも、どうしても気になることがあって戻ってきました」

気になること、だと?

俺は嫌な予感を感じる。いや、予感ではない。経験の積み重ねが、この後の展開を予言している。千反田の長い黒髪は滲《にじ》んだ汗で艶《つや》を帯び、頰《ほお》は僅《わず》かに上気して桜色。そして瞳《ひとみ》は、爛々《らんらん》と輝《かがや》いていると思わせるほど、生気に満ちている。好奇心の爆発の兆候《ちょうこう》だ。

「ちーちゃん、気になることって?」

訊くな、訊くな。俺はそっと、千反田の後ろにまわりこみ、そのまま地学講義室を出ようとする。

が、案の定見つかった。わかっていたはずだ、お嬢様の目はごまかせない。腕を、つかまれた。千反田が俺を引っ張っていく。

「折木さん、行きましょう。弓道場です、まだ間に合います」

「なんだよ、なんだって？」

無駄とは知りつつも、俺は精一杯《せいいっぱい》の抗議をする。が、千反田はそれを説明の要請《ようせい》と受け取ったようだ。首を横に振る。

「口で言うより、見てもらった方がずっといいと思います」

駄目だこれは。千反田が一旦《いったん》こうなったら、とことんまで付き合うのが結果として省エネに繋《つな》がるのだ。見ると、里志は笑っていた。伊原は肩をすくめた。俺は諦《あきら》めて、言った。

「わかった、行くよ。詰《つ》まるところ、いつものあれだろう？」

千反田は足を止め、俺を振り返る。そして大きな瞳でまっすぐに俺を見ると、少し口元を緩《ゆる》めてみせた。

「ええ、そうです。……わたし、気になります」

九　サラエヴォへの手紙

折木　供恵殿《どの》

前略

姉貴に訊きたいことがあって手紙を送る。まだ、この間のホテルに泊まっていると信じて。

姉貴は、古典部のことをどこまで知っていたのか。

どういうつもりで、俺を古典部に入らせたのか。

姉貴なら、俺がどういうスタイルを好むか知っているだろう。だが俺は高校入学以来、里志や、姉貴の知らない連中に囲まれ、そいつらの俺のやり方に反したスタイルを見るにつれ、どうにも居心地《いごこち》の悪い思いをしてきた。それは、古典部に入ることがなければ、味わわなくてもよかった感覚だと、いま思う。無所属を貫《つらぬ》けば、俺は自分のモットーに疑問を感じることなどなかっただろう。

　姉貴は、俺がそういう揺さ振りを受けることを予想していたのか？

　そして、『氷菓《ひょうか》』。

　俺は姉貴のベナレスからの手紙に従って古典部に入り、イスタンブールからの手紙に従って生物準備室の金庫を開けた。だがそれはそれだけで終わらなかった。金庫を開けたことで、俺は三十三年前の関谷純の事件を探《さぐ》る破目になった。

　関谷純の事件は要するに、三十三年前の生徒たちの活気に溢《あふ》れるアクティブなスタイルの行き過ぎがもたらしたものだ。そういうスタイルが『氷菓』というタイトルを産んだのなら、薔《ば》薇色《らいろ》というのも考え物だ。実際、あの事件のことを知って以来、俺は居心地の悪さを感じることはなくなった。自分のスタイルがいいとは思わないが、相対的に悪くはないだろうといまは思っている。

　姉貴は、俺が
　まさかね。

　悪い冗談だ。それじゃまるで精神操作だ。さすがにそれはありえない。

気にしないで欲しい。ここまで書いたのは、全て近況報告《きんきょう》だと思ってくれ。書き直すのも面倒だし。

いい旅を。

アドバイスをありがとう。

草々

折木　奉太郎

あとがき

初めまして。米澤穂信《よねざわほのぶ》です。

この小説は六割くらいは純然たる創作ですが、残りは史実に基《もと》づいています。新聞の地方版にも載《の》らなかったささやかな事件が、この物語の底流にあります。

ちなみに創作部分と史実部分を見分けるコツですが、いかにもありそうななりゆきを記した部分が創作、どうにもご都合主義っぽい部分が史実だと思っていただければおおむね間違《まちが》いはないかと思います。しかし、この小説が事実に基づいているという情報がいかにもありそうななりゆきだと思われる向きには、どう説明すればいいのでしょう。いまのところいいアイディアは浮かびません。

また、事件を小説として仕上げるに当たっては、デフレスパイラルの模式図から重要な着想を得ました。同時に、ＮＨＫ教育の番組「サブリナ」に負うところが大きかったことを記しておきます。

本書が日の目を見るまでには、多くの方々にお力添《ちからぞ》えを頂きました。特に、土壇場《どたんば》で極めて重要な示唆《しさ》を与えてくれた山口さん、中井君。この小説を好きだと言ってくれ、また面白いと言ってくれた斎藤さん。いつでも私を待っていてくれた多田さん。ひとりよがりな持論の展開に倦《う》まずつきあってくれた秋山君。

彼らには改めて、お礼を言います。ありがとう、そろそろ鰤《ぶり》がおいしくなってくる季節です、訪ねて来てくれれば喜んでご馳走《ちそう》しますよ。


そして。

この小説に機会を与えてくれた選考委員の皆様。担当のSさん。そしてイラストを引き受けてくださった上杉さん（初版刊行時）、関係者の皆様。

「氷菓」がこうして物理的に本になったのは、皆様のおかげです。深くお礼申し上げます。


ところで先日、友人と寿司《すし》を食べに出ました。値段相応の味を堪能《たんのう》して、さて帰ろうかと車に乗り込んだまではよかったのですが、どうしたものか運転手を務める友人が一向に車を出そうとしないのです。

時刻は食事時ですから、駐車場には次々と車が入ってきます。私たちははっきり言って迷惑《めいわく》になっています。ですが、早くしろと私がいくら促《うなが》しても、友人は黙《だま》って曖昧《あいまい》な笑《え》みを浮かべたまま車を動かそうとしません。
友人は決して悪戯《いたずら》好きではなく、むしろ真面目で慎重な性格なのですが、今日に限ってどうしたというのでしょうか。

事の真相は、また後日。どうか後日がありますように。
それでは、今後ともよろしくお願いします。

米澤　穂信

本書は二〇〇一年十一月、角川スニーカー文庫
〈スニーカー・ミステリ倶楽部〉より刊行された。

氷《ひょう》菓《か》

米澤《よねざわ》穂信《ほのぶ》

角川文庫 12196

平成十三年十一月一日　初版発行
平成二十四年　四月三十日　三十版発行

発行者―井上伸一郎
発行所―株式会社角川書店
東京都千代田区富士見二―十三―三
電話・編集（〇三）三二三八―八五五五
〒一〇二―八〇七八
発売元―株式会社角川グループパブリッシング
東京都千代田区富士見二―十三―三
電話・営業（〇三）三二三八―八五二一
〒一〇二―八一七七
http://www.kadokawa.co.jp

印刷所―暁印刷　製本所―BBC
装幀者―杉浦康平

よ 23-1　ISBN978-4-04-427101-5　C0193

角川文庫発刊に際して

角　川　源　義

第二次世界大戦の敗北は、軍事力の敗北であった以上に、私たちの若い文化力の敗退であった。私たちの文化が戦争に対して如何に無力であり、単なるあだ花に過ぎなかったかを、私たちは身を以て体験し痛感した。西洋近代文化の摂取にとって、明治以後八十年の歳月は決して短かすぎたとは言えない。にもかかわらず、近代文化の伝統を確立し、自由な批判と柔軟な良識に富む文化層として自らを形成することに私たちは失敗して来た。そしてこれは、各層への文化の普及滲透を任務とする出版人の責任でもあった。

一九四五年以来、私たちは再び振出しに戻り、第一歩から踏み出すことを余儀なくされた。これは大きな不幸ではあるが、反面、これまでの混沌・未熟・歪曲の中にあった我が国の文化に秩序と確たる基礎を齎らすためには絶好の機会でもある。角川書店は、このような祖国の文化的危機にあたり、微力をも顧みず再建の礎石たるべき抱負と決意とをもって出発したが、ここに創立以来の念願を果すべく角川文庫を発刊する。これまで刊行されたあらゆる全集叢書文庫類の長所と短所とを検討し、古今東西の不朽の典籍を、良心的編集のもとに、廉価に、そして書架にふさわしい美本として、多くのひとびとに提供しようとする。しかし私たちは徒らに百科全書的な知識のジレッタントを作ることを目的とせず、あくまで祖国の文化に秩序と再建への道を示し、この文庫を角川書店の栄ある事業として、今後永久に継続発展せしめ、学芸と教養との殿堂として大成せんことを期したい。多くの読書子の愛情ある忠言と支持とによって、この希望と抱負とを完遂せしめられんことを願う。

一九四九年五月三日

角川文庫ベストセラー

バッテリーⅥ　あさのあつこ

運命の試合が迫る中、巧と豪のバッテリーがたどり着いた結末は？　そして試合の行方とは――!?　大ヒットシリーズ、ついに堂々の完結巻!!

空の中　有川浩

二〇〇X年、謎の航空機事故が相次ぐ。調査のため高度二万メートルに飛んだ二人が出逢ったのは!?　有川浩が放つ〈自衛隊三部作〉、第二弾！

GOTH《ゴス》夜の章　乙一

連続殺人犯の日記帳を拾った森野夜は、死体を見物に行こうと「僕」を誘う…。本格ミステリ大賞に輝いた出世作。「夜」を巡る短篇3作収録。

GOTH《ゴス》僕の章　乙一

世界に殺す者と殺される者がいるとしたら、自分は殺す側だと自覚する「僕」は森野夜に出会い変化していく。「僕」に焦点をあてた3篇収録。

ドミノ　恩田陸

一億の契約書を待つ生保会社のオフィス。下剤を盛られた子役……。東京駅で見知らぬ者同士がすれ違うその一瞬、運命のドミノが倒れていく！

ユージニア　恩田陸

あの夏、青澤家で催された米寿を祝う席で、十七人が毒殺された。街の記憶に埋もれた大量殺人事件が、年月を経てさまざまな視点から再構成される。

覆面作家は二人いる　北村薫

姓は《覆面》、名は《作家》。二つの顔を持つ新人作家が日常に潜む謎を鮮やかに解き明かす――弱冠19歳のお嬢様名探偵、誕生！

角川文庫ベストセラー

覆面作家の愛の歌　北村　薫

きっかけは、春のお菓子。梅雨入り時のスナップ写真。そして新年のシェークスピア…。三つの季節の、三つの謎を解く、天国的美貌のお嬢様探偵。

覆面作家の夢の家　北村　薫

「覆面作家」こと新妻千秋さんは、実は数々の謎を解いてきたお嬢様探偵。今回はドールハウスで起きた小さな殺人に秘められた謎に取り組むが…⁉

ネガティブハッピー・チェーンソーエッヂ　滝本竜彦

高校生・山本が出会ったセーラー服の美少女・絵理。彼女が夜な夜な戦うのは、チェーンソーを振り回す不死身の男だった。滝本竜彦デビュー作！

NHKにようこそ！　滝本竜彦

俺が大学を中退したのも、無職なのも、ひきこもりなのも、すべて悪の組織NHKの仕業なのだ！驚愕のノンストップひきこもりアクション小説！

超人計画　滝本竜彦

ダメ人間ロードを突っ走る自分はこのままでよいのか？　いや、己を変えるには超人になるしかない！　脳内彼女レイと手を取り進め超人への道‼

僕と先輩のマジカル・ライフ　はやみねかおる

幽霊が現れる下宿、プールに出没する河童……。大学一年生の井上快人は、周辺に起こる怪しい事件を解きあかす！　青春キャンパス・ミステリ！

本格推理委員会　日向まさみち

音楽室に女性の幽霊が現れたとの噂。高校生の城崎修はこの怪談話を探り始めるが、そこには思わぬ真実が待っていた‼　次世代青春&ミステリ！

角川文庫ベストセラー